UN VENT DE CENDRES

Sandrine Collette est née en 1970. Elle partage son temps entre l'écriture et ses chevaux dans le Morvan. Après *Des nœuds d'acier*, Grand prix de littérature policière 2013 et best-seller dès sa sortie, *Un vent de cendres* est son deuxième roman.

Paru dans Le Livre de Poche :

DES NŒUDS D'ACIER

SANDRINE COLLETTE

Un vent de cendres

ROMAN

DENOËL

© Éditions Denoël, 2014.
ISBN : 978-2-253-17602-2 – 1re publication LGF

À mon père, refuge de mes joies et de mes peurs,
râleur impénitent au cœur en or
(les chiens ne font pas des chats, paraît-il)

À Juliette toujours, pour la lumière

Prologue

Au moment où Andreas laisse revenir le volant dans l'axe, après ce sale virage, la chose est déjà là, tapie quelque part. Mais il ne la perçoit pas. Ça plane au-dessus de lui sans un bruit, sans un signe, impalpable. La faute peut-être aux champs de colza qui défilent en longues bandes jaunes floutées sur le bas-côté, et leur parfum entêtant, et Laure qui fredonne en regardant le paysage par la vitre baissée. Laure dont les cheveux s'envolent et lui reviennent sans cesse dans les yeux à cause du toit ouvrant, mais il fait si doux. Elle a levé le bras pour sentir l'air lui passer entre les doigts, Andreas roule vite, comme toujours. Elle en a les larmes aux yeux. Une poussière sans doute, elle rit toute seule. Resserre le col de sa chemise – elle est si fragile. *Tu as froid*, dit Andreas. — *Non, je fais attention, c'est tout. Tu me connais.* — *On s'arrête prendre un café ?* — *Bientôt.*

À l'arrière, Octave se redresse, se penche entre eux deux.

— Un café, je suis pour. On n'a pas assez dormi.

Andreas le repousse en souriant.

— Bientôt, on a dit.

Une si belle journée. Laure renverse la tête en arrière et exhale un profond soupir avant de reporter machinalement son attention sur la route. C'est là, à quelques poignées de secondes cette fois. Cela flotte dans la tension de l'air. Mais si bien caché, et tellement impossible. *Zut*, dit Laure, *je crois que j'ai oublié mon livre là-bas.*

— Ils nous l'enverront.

— Petite tête, se moque Octave depuis la banquette arrière.

Un sourire en coin sur le visage d'Andreas. Et puis le silence à nouveau qui les tenaille, comme la fatigue, le bruit du moteur et le souffle de l'air en bercement; de temps en temps Laure jette un œil sur Andreas pour vérifier qu'il ne s'endort pas. Elle n'a pas besoin de demander, il la regarde et il comprend, secoue doucement la tête, tout va bien. Il est clair. Elle acquiesce, elle aussi.

— Il était bien ce mariage, non?

Andreas hausse un sourcil.

— Je croyais que tu détestais ça.

— Je déteste ça, confirme-t-elle en appuyant sur les trois mots.

Il sourit, baisse le pare-soleil. La lumière l'a ébloui en traversant les arbres. La route file tout droit maintenant et il la devine devant lui de colline en colline, s'effaçant dans les creux et réapparaissant en haut des petits monts. Comme si elle lisait dans ses pensées, Laure murmure :

— C'est joli par ici. Ça nous change.

— C'est toujours l'histoire de l'herbe plus verte… Tu ne les aimes pas, nos coteaux de vignes?

Elle sourit. *Si. Si bien sûr. Tu as raison.* Soudain elle se redresse sur son siège, tend le doigt devant elle.

— Regarde là-bas, c'est Matthieu et Aude, non? On les a rattrapés. On est partis au moins un quart d'heure après eux.

Andreas pousse un cri joueur et appuie sur l'accélérateur, faisant bondir la Mercedes. En cinq cents mètres ils rattrapent la voiture blanche.

— Attends ! se précipite Laure.

Elle défait sa ceinture de sécurité, se lève et émerge par le toit ouvrant. Andreas tique un peu : ses chaussures écrasent le cuir du siège. Il ne dit rien cependant. Laure fait de larges signes et il voit le bas de son ventre bronzé quand elle agite les bras. Une sorte d'émotion le fait frissonner. Un coup d'œil furtif vers Octave. Évidemment, il regarde aussi. Quand il s'aperçoit qu'Andreas le fixe dans le reflet de la vitre, il fait mine de viser en riant la voiture devant eux, comme dans la ligne de mire d'un fusil.

— Ohé, hurle Laure là-haut.

Ils doublent dans un vrombissement de moteur. Laure se retourne avec de grands gestes, étonnée et ravie par la vitesse avec laquelle la voiture s'arrache au macadam. Dans le rétroviseur, Andreas lui aussi jette un œil à la Peugeot qui leur fait des appels de phares. *Bande de petits vieux*, se moque-t-il en s'exclamant. Deux fois, trois fois les phares s'allument derrière eux.

Dix fois.

Et le klaxon d'un coup, long, insistant. Cette fois Andreas fronce les sourcils sans lâcher le rétroviseur des yeux. Bizarre. Lève le pied, ils ont peut-être un souci avec leur bagnole française. Lui n'a jamais acheté autre chose que Mercedes ou BMW. Des valeurs sûres. Il ne changerait pour rien au monde. Si tout le monde faisait comme lui !

À l'instant même où il regarde à nouveau devant lui, il comprend. En haut de la côte, glissant en travers des deux voies, le camion est déjà presque sur eux.

— Laure !

Il a hurlé, la tirant par le bas de la chemise. Le camion klaxonne comme une alarme. Mais Laure n'entend pas, elle lui tourne le dos, riant toujours.

— Allez ! encourage-t-elle.

Andreas rugit cette fois :

— Laure !

Les bras arc-boutés sur le volant, il écrase la pédale de frein au risque de faire basculer Laure, une pensée l'a traversé comme un éclair : *De toute façon on va y rester.* Le bruit des pneus brûlant le bitume l'assourdit littéralement. La voiture tient le cap, roues bloquées, des voyants sont allumés sur le tableau de bord, Andreas ne regarde pas. À cette vitesse, ils ne sont plus qu'à une vingtaine de mètres du camion. La seule chose que voie encore Andreas, ce sont les sangles déchirées battant l'air, libérant le chargement qui glisse en face d'eux. Des poutres en métal. L'horizon est saturé de barres en acier, tel un terrible jeu de mikado. Le klaxon du camion en sirène de bateau. Et le long cri d'Octave juste derrière.

— Non ! Non !

Au moment de l'impact, un automatisme stupide, Andreas regarde le compteur. Encore cent dix-neuf kilomètres heure. Il se dit : *C'est trop vite.*

Et puis il entend le choc. Les pneus qui éclatent sur les poutres au sol, les jantes hurlant dans un bruit de métal. Mais la voiture tangue à peine. Un instant, incrédule et hagard, il pense : *On s'en est sortis. On est passés au travers.*

Dans la fraction de seconde qui suit, le corps décapité de Laure s'effondre sur lui.

*

Andreas mugit littéralement, essayant d'échapper au corps sans tête qu'il a repoussé sur ses genoux et qui s'accroche à lui dans une sorte d'ultime réflexe. Recroquevillé contre la portière de la voiture, il voit le tronc ouvert vomir un torrent de sang sur son ventre et sur ses jambes, qui lui éclabousse le visage. Un sang rouge et chaud.

Son cri sans fin, l'épouvante dans sa voix. Andreas met un coup de volant désespéré pour s'arracher à l'étreinte de cette chose morte qui ne veut pas le lâcher. La voiture fait une violente embardée, mord le bas-côté et sort de la route.

Le ciel, la terre. Jaune, vert, bleu. Il fait chaud ce jour de mai, c'est pour cela qu'ils avaient ouvert le toit. L'odeur du colza, le bruit de la voiture qui n'en finit pas de tourner sur elle-même, Andreas n'a plus conscience du corps de Laure qui roule sur lui. Plus tôt dans la journée, pour la première fois de sa vie il s'était dit que cette femme-là il voulait l'épouser. Que le prochain mariage, ce serait eux.

*

Dehors, le brouhaha. Andreas perçoit des voix, distingue des silhouettes déformées qui courent — *On est là. Ça va aller maintenant, on est là.* Dans la tôle broyée, du sang partout, ça ne peut pas être seulement Laure – il regarde en comprenant à demi, sonné. Et puis un visage par la vitre cassée, qu'il devine sans pouvoir tourner la tête. Un cri – *Oh merde!* Le premier pompier à se pencher à l'intérieur de la voiture s'évanouit en les voyant.

Le tronc de Laure, méconnaissable. Et lui, ruisselant de leurs deux sangs. Octave, il ne sait pas. Il n'entend rien derrière.

— Arrêtez-moi ça, les gars, arrêtez ça !

Il saura plus tard que c'est le capitaine des pompiers qui l'a sorti en force de la carcasse fracassée, exsangue et mourant. Les deux injections d'adrénaline qu'on lui fait aussitôt ne donnent rien : plus assez de sang pour la faire circuler dans son corps vidé, plus de vecteur pour monter jusqu'au cœur. Dans la radio du camion qui l'emmène, un pompier gueule qu'il lui faut une transfusion d'urgence à l'arrivée à l'hôpital ; il a le portefeuille d'Andreas dans une main, sa carte de groupe sanguin dans l'autre.

Allongé à l'arrière, Andreas a l'impression de flotter dans l'air, rien ne l'atteint. Les bruits lui parviennent assourdis. Il n'a même pas mal.

*

Le hurlement de la sirène. Son corps ballotté sur un brancard, il ne sent toujours rien, peut-être une sorte de bien-être dont il ne perçoit pas l'étrangeté. Le monde lui semble étrangement calme. Il perçoit des lumières bleues, jaunes, des mouvements flous autour de lui, qu'il n'arrive pas à suivre du regard. Ce doit être un hôpital, avec des couloirs et des plafonds qui se déplacent tandis qu'on le pousse en courant. Les yeux ouverts, Andreas entend qu'on lui parle, ne comprend pas, ne répond pas. Il sent bien que quelque chose glisse hors de lui, quelque chose comme de la vie, mais il ne peut rien y faire, pas même l'expliquer aux gens qui l'entourent. Quand une voix dit : *On transfuse, allez on transfuse !*, il a perdu conscience.

*

En quelques dizaines de secondes, le sang qu'on lui injecte avale l'adrénaline bloquée dans son corps et la déverse dans les veines. En surdose.

Deux arrêts cardiaques, coup sur coup.

La lumière au bout du tunnel, ils disent.

*

Au fond du coma d'Andreas il ne reste rien, qu'une immense caverne sans lumière qui pourrait tout aussi bien être l'intérieur de son corps. Un magma rouge et noir barré d'os brisés, qui s'élève et s'affaisse grâce aux machines, rythmé par un sifflement glaçant. Il n'y a rien à dire de cet espace qui vit encore, replié sur lui-même comme pour endormir la douleur. Une bribe d'existence. Une étincelle éteinte dans une solitude absolue.

Qui s'acharne.

L'impact, les os broyés, les blessures. La tôle fracassée, repliée, déchirant le visage d'Andreas. Pendant des mois il en a rêvé. Aujourd'hui encore, quand sa vigilance baisse, cela revient; et, au jour le jour, la souffrance reste, à peine atténuée. Mais malgré tout, malgré les cicatrices qui lui resteront jusqu'à la mort, son corps tordu et douloureux, ceci est minuscule à côté de ce qui est arrivé à Andreas.

La perte de Laure. Jamais cela ne s'apaisera, car aucun remède n'existe. L'image simple et terrible que lui a donnée un médecin le hante : la mort de Laure est une blessure. Comme toute blessure, elle guérira, de gré ou de force. Mais elle laissera une cicatrice. Qui lui fera mal par mauvais temps, quand la pression atmosphérique sera trop haute. Ou quand il y aura du vague à l'âme, comme on dit qu'il y a du vent. Une cicatrice refermée qui restera l'endroit le plus fragile de son corps et de son âme.

Mais Andreas ne veut pas guérir. De la même façon qu'une plaie frottée avec du sucre ne cicatrise jamais, il ressasse chaque jour ce qu'il a en mémoire de l'accident, et les deux années qui ont précédé, pendant lesquelles Laure et lui vivaient ensemble. Hébété, il fixe le mur de l'hôpital, puis du centre de convalescence, puis enfin de la maison, pendant des heures : les scènes d'une existence heureuse et ruinée s'y projettent et s'idéalisent.

D'abord ce sont des semaines qui passent, puis des mois. Andreas cultive la douleur en s'enfermant dans la grande maison du domaine dont il a annexé l'aile sud. Les vignes l'indiffèrent ; il les abandonne à Octave. Une étrange vie commune s'installe, faite de silences et d'une amitié scellée dans le sang. Même s'ils le voulaient, ils ne pourraient sans doute plus se séparer, réunis qu'ils sont par ce traumatisme dont aucun des deux n'est sorti indemne. Ils vivent là au bord du village, seuls et épuisés, rythmés par les vignes d'Andreas qui sont leur seule raison de se lever et leur seule source de revenus. Pour qui les contemplerait de l'extérieur, leur sort est plutôt enviable, car l'économie du champagne se porte bien.

Mais à l'intérieur ils sont inexorablement ravagés.

*

On avait dit à Andreas : *Le temps, il n'y a qu'avec le temps...* Depuis l'accident il le repousse, attentif et fidèle, à l'affût de chaque souffrance qui s'atténue et qu'il ravive à coups de souvenirs. Mais de mois en année ses efforts sont plus vains, et vains les éclats de colère quand le ventre le tord un peu moins ou que ses yeux restent secs. Il cherche la douleur comme un chien une piste de gibier frais, prêt à s'écorcher vif pour la faire revenir. Quelquefois effaré, il pense que si elle disparaissait, alors tout, absolument tout aurait été vain. Mais elle est là, fidèle et turbulente, dans la détresse hurlante qui le prend d'un coup et l'éveille, dans ses pas qui arpentent le couloir la nuit, dans sa bouche

17

ouverte sur un cri enragé. Elle est là, il la laisse venir, elle le prend au piège. Il l'entend beugler son nom : *Andreas, Andreas…* Après la crise il pleure tout bas, avale des médicaments trop tard. Ramasse les éclats de verre et les chaises brisées, enroule un torchon autour de son bras blessé. Dans le canapé blanc, il somnole en écoutant en boucle les *Danses hongroises* de Brahms. À côté de lui, Octave s'est endormi depuis longtemps.

*

Peu à peu Andreas s'efface du monde, recule au fond de sa chambre, au fond de la maison. Il sort le moins possible. Et puis plus du tout. De loin il surveille les choses, pâle et reclus, suit la vie comme un étrange spectateur qui prendrait soin de rester à l'écart, pour qu'elle ne le touche pas. Si Octave ne lui apportait pas à manger chaque soir, peut-être se laisserait-il mourir. Mais ce choix ne lui appartient pas. Alors il continue à regarder par la fenêtre, à mâcher un peu de viande ou de pain, à goûter le raisin mûr. Ses contours donnent l'impression d'être devenus flous à force de silence et de repli. D'une certaine façon, seul reste Octave.

Et les années passent, sans attente, sans pansement. Sans rien.

DIX ANS PLUS TARD

À l'entrée du bourg, les panneaux indiquant les différentes caves déchirent la campagne de leur éclat fluorescent. Du travail d'amateur, mais tout le monde s'en fout : l'important, c'est de trouver son employeur sans tourner trop longtemps. Partout autour les vignes courent sur les coteaux, remplissant la campagne d'ondulations régulières. Des mers vertes qui se déversent de talus en colline, grignotent jusqu'aux quelques mètres carrés qui toucheront presque la route et détruisent systématiquement les espèces étrangères : plus une culture dans ce coin de pays, et plus un arbre à l'horizon des parcelles mangées par les sarments. Mais c'est ainsi quand s'établit une filière fructueuse. Ailleurs ce seraient les céréales ; ici c'est la vigne. Des centaines d'hectares de pinot, noir et meunier, et de chardonnay qui ont éradiqué les prairies, les bois et les cultures sur ces terres marneuses. Quelques rares forêts et pâtures subsistent dans les zones non autorisées à la plantation.

Camille hoche la tête en roulant, entre dans le village, vitres ouvertes. Il fait chaud.

— Des vignes, des vignes, des vignes, murmure-t-elle.

À côté d'elle, Malo se moque.

— C'est pour ça qu'on est là, non ?

— À ce point.

— Et nous dans notre région, il n'y a bien que des vaches.

— Au moins une vache, ça bouge. C'est vivant.

— Jusqu'à ce qu'on la bouffe.

Camille hausse un sourcil en regardant son frère.

— Là, dit-il en interrompant sans doute ce qu'elle allait dire.

Le café fait l'angle et Camille tourne la tête de gauche à droite, cherchant un endroit où se garer. Finalement elle trouve plus haut, sur une place transformée en parking à cause de l'affluence pendant les vendanges. Sous les gravillons noirs, le sol est brûlant et sent le bitume, les pneus marquent. Trente-six degrés au thermomètre de la voiture et pas un arbre. Camille hésite à laisser les vitres ouvertes, se rappelle que leurs sacs sont dans le coffre. Elle verrouille les portes et rattrape Malo en trottinant, qui redescend vers le café où Charlotte et Henri leur ont donné rendez-vous.

— Ça va ton dos ? demande-t-elle en arrivant à sa hauteur.

Il lève un pouce en signe d'acquiescement. Une chute de rien en VTT, une mauvaise petite chute au mauvais endroit, et trois semaines d'anti-inflammatoires pour se débarrasser des tiraillements dans les reins. Mais les vendanges, il avait dit qu'il y serait. Henri lui en parle depuis trois ans comme d'une sorte de temps magique et il a beau se douter que tout n'est pas vrai, il a promis de venir à la fin de ses études. Jusque-là c'était impossible : les écoles d'ingénieur rentrent tôt. Il faut être bien planqué à la fac pour reprendre en octobre et ne plus savoir comment occuper ses quatre mois de vacances. C'est aussi pour cela qu'il a emmené Camille, qui s'ennuie entre deux années de philo. *Allez viens*, dit-il en lui prenant la main, *plus que deux heures tranquilles. Après on s'installe pour une semaine d'enfer. Je t'offre une bière ?* Elle le suit, les yeux écarquillés devant la terrasse bondée du seul café du village. Le patron a investi le trottoir et les quatre places de parking autour, serré les tables autant que possible ; malgré cela plusieurs personnes sont assises sur les murets qui bordent la rue. Malo et elle se faufilent, les clients qui se lèvent les bousculent, les séparent, les emmènent.

— Malo, appelle Camille.

Il se coule vers elle, la pousse de l'épaule vers une table qui se libère.

— Je ne les vois pas, dit-il.

Ils s'asseyent, touchant presque les coudes de leurs voisins, indifférents à cette promiscuité qui a des airs de fête. Ailleurs, cela serait insupportable. Camille jette un coup d'œil admiratif à son frère. Il est beau, Malo, qui la joue élégance négligée, chemise flottant sur son Diesel, avec son regard vif et ses longs cils de fille. Il commande deux bières, sourire craquant, le charme de ses vingt-trois ans. Quelques clients les contemplent machinalement. Nouveaux venus au café. Mais aussi l'attrait irrépressible de l'œil pour tout ce qui est un peu au-delà de la normale. En fait ils sont beaux tous les deux, mais Camille n'y pense même pas. Elle sait que ce qui fascine chez elle, ce sont ses cheveux d'une blondeur lunaire, si clairs, si opposés à ceux bruns presque noirs de Malo. Elle ne cherche pas plus loin. Son horizon s'arrête à ce frère de deux ans son aîné, son confident, son idole, qui la traîne avec lui depuis l'enfance. Un corps-mort au milieu du divorce des vieux, dansant sur les vagues, toujours au-dessus. Une bouée dans son océan, elle qui a si peur de l'eau.

— Hé !

Malo a levé la main en apercevant Henri, faisant sursauter Camille.

— Venez, on va se serrer, vous buvez quoi ?

— Attends, rit Charlotte en l'embrassant, écoute, tu ne vas pas le croire – et elle s'éclipse à l'intérieur du café.

Une vingtaine de secondes plus tard, une vieille chanson explose jusqu'au bout du trottoir. Malo s'esclaffe : *Quoi ??*

— Un juke-box, opine Henri, et du bon vieux temps. Tu te rends compte ?

Charlotte revient et s'affale sur une chaise dure.

— C'est toi qui as mis ça ? Ça doit avoir au moins vingt ans.

— Elle danse Marie elle danse, chante-t-elle sans répondre.

Malo a fait un signe et le serveur glisse deux autres bières sur la table. Ils trinquent en se regardant droit dans les yeux, sinon ça ne marche pas. *À nous*, dit Henri, *à nos dos, nos mains et nos genoux encore intacts.* Ils rient. Sous les parasols, la morsure du soleil se paralyse. Camille appuie le verre froid sur sa joue ; des gouttes d'eau descendent dans son cou. Les yeux à demi fermés, elle écoute la conversation futile et ronronnante, se laisse bercer.

*

20 septembre, dix-huit heures trente. Campé à l'entrée de la cour, Lubin regarde sa montre. Octave le surveille par la porte, sort sur le perron. La canne tape

par terre et le grand gars solide se retourne. Il crie :
C'est l'heure. Ça va arriver.

Octave hoche la tête.

*

Camille a repris la voiture et suit Henri. Il a dit : *Deux minutes. Au bout du village, un peu excentré.* En passant la grille rouillée au bout de l'allée, elle remarque le petit cercueil empalé sur un pieu, juste à côté de la boîte aux lettres brinquebalante. Un rectangle de bois d'une vingtaine de centimètres avec une tête de mort dessinée dessus. Malo aussi l'a vu : il éclate de rire.

— C'est quoi ça, c'est pour faire peur aux petites vieilles du coin ?

Camille ne dit rien, elle a horreur de ces objets-là, la superstition elle a ça dans le sang, à cause de leur grand-mère qui était rebouteuse. Les gousses d'ail et les corbeaux crevés, elle en a encore l'odeur dans le nez. Des psalmodies lui reviennent aux oreilles, souvenirs d'il y a dix ans. Malo ne venait jamais, plein de mépris pour ces histoires de bonnes femmes. Enfermé dans le garage des parents, il réparait des mobylettes et les revendait à ses copains pour trois cents balles.

*

Tout le monde a fait l'expérience une fois dans sa vie de ces moments étranges qui donnent l'impression d'avoir déjà été vécus. Une sensation au détour d'un chemin, un lieu à la fois inconnu et familier, lointain et au bord de la conscience en même temps ; la certitude d'avoir un jour prononcé les mêmes mots, d'avoir fait les mêmes gestes. Mais où, quand, pourquoi, impossible de le dire. Cette sensation reste, ardente et vaine. Perdus d'avance, ces souvenirs ne reviennent jamais en mémoire, inaccessibles, d'un autre temps, d'un autre monde.

De la même façon, certains endroits, à l'instant où on les découvre, révèlent ce sombre pressentiment que rien de bon ne peut y advenir. Un trouble diffus qui se remarque à peine, une hésitation, un frisson qui pourrait tout aussi bien venir du petit vent d'est ; seulement il y a autre chose. Ces endroits, on ne les connaît pas, mais eux semblent vous attendre.

Pour le pire.

Et le pire, c'est de se dire plus tard qu'on l'avait senti venir.

Malo se tient bras croisés à l'arrière de la grande maison qui se dresse comme le château d'un vieux conte, et cette grande maison lui déplaît instantanément. Il est descendu de voiture et c'est là que la sensation l'a pris. Dans le bout de pré fauché qui sert à se garer. Il regarde la façade, ses fenêtres bardées de grilles, les vieux rosiers fatigués. Mais il y fait à peine attention, il ferme la portière et plisse les yeux. Voilà, c'est tout. La seconde d'après, il remarque les quelques personnes rassemblées autour du vieux, il répond au coup de coude d'Henri, le sentiment diffus s'évanouit.

Réflexe. Camille compte. Ils sont sept vendangeurs en tout. Demain à huit heures, ils seront côte à côte dans les rangs de vigne, agenouillés ou pliés en deux, un sécateur à la main. Sept. Ça lui paraît peu. Elle regarde Lubin. Elle aime bien ces types épais, durcis par le travail, ces maîtres véritables des caves ou des fermes où ils ont pris le pas sur des propriétaires trop riches et trop absents. Avec ses bras d'haltérophile et ses cheveux grisonnants, sa voix qui semble monter des profondeurs de la terre, il leur montre la bâtisse en U, l'aile nord qui les abritera pendant les vendanges. Tous les matins, les camionnettes partiront de là. Des gens du village se joindront à eux. Quatre femmes et deux gars, explique-t-il, un Portugais aussi. En attendant les présentations sont sommaires :

— Toi, dit-il en montrant Henri du doigt, cela fait plusieurs années que tu viens avec la petite. Henri et Charlotte, c'est ça, hein ? Bon, les autres, c'est comment ?

Il prend une liste dans sa poche.

— On va abandonner les noms de famille. Vous levez la main quand je vous appelle ? Ça vous rappellera l'école que vous avez dû quitter il y a pas long-temps… Julie, Pascale, Camille, Paul, Malo.

Ils font un petit signe chacun leur tour quand tombe leur prénom.

— Bien. Comme ça vous êtes présentés. Pour le reste, vous vous débrouillez ensemble. On y va.

Il les fait passer sous l'immense porche, sacs sur l'épaule. La cour pavée, bordée par les bâtiments, est trouée de massifs d'arbustes et de rosiers dont certains sont encore en fleurs, grimpant sur les murs ou sur des arceaux installés pour les soutenir. Les longues lianes feuillues d'une glycine courent sur toute la façade principale. Lubin fait un geste sur sa gauche.

— Ici, c'est chez les patrons.

Instinctivement ils lèvent tous la tête vers la villa. Camille tressaille. Un rideau s'est refermé d'un coup sur une fenêtre à l'étage, masquant une silhouette qu'elle n'a fait qu'apercevoir et qui recule jusqu'à disparaître complètement.

— Il y a quelqu'un, murmure-t-elle à l'oreille d'Henri qui est juste à côté d'elle.

Il hausse les épaules.

— Oui. Le Boiteux. Ou alors l'autre. L'Arlésienne.

— Le Boiteux et l'Arlésienne ? Hé, c'est quoi cet endroit ?

— Il t'a pas dit, Malo ? C'est la cour des miracles, ici. Les patrons, on les croise jamais… enfin, il y en a un qui surveille, mais de toute façon il est dingue et quand tu le vois arriver… — il mime une silhouette bancale.

— C'est… deux gars ?

Henri secoue la tête en silence. *Je te dirai plus tard.* Un regard sévère de Lubin sur eux, ils se taisent. La main tendue de l'autre côté, le contremaître annonce : *Là c'est chez vous.* Les regards se tournent vers l'aile des dépendances, où Lubin se dirige d'un pas lourd. Ils se mettent en route derrière lui. Au moment où ils passent la grande porte d'entrée, un air frais, un peu humide, les enveloppe, l'odeur des bâtiments fermés que l'on ventile trop rarement, et pourtant toutes les fenêtres sont ouvertes.

— Vous avez vos sacs de couchage ? demande Lubin.

Autour de lui, des murmures d'acquiescement. Ils traversent une immense salle dans laquelle trônent une table et des bancs en bois noir, quelques vieilles armoires contre les murs. Au bout de la pièce, l'escalier les mène à l'étage : un long couloir qui dessert les dortoirs et les douches. Lubin ouvre deux portes.

— Julie, Charlotte, euh... Pascale, c'est ça, et Camille, de ce côté, les gars de l'autre.

Puis une troisième.

— Les sanitaires c'est là. Les douches sont en face. Il n'y a pas de femme de ménage, arrangez-vous pour que ça reste propre. Les repas se prennent en bas, sept heures, midi, dix-neuf heures, ça arrive tout fait mais il faudra vous débrouiller pour le lave-vaisselle. S'il vous manque quelque chose, j'habite la petite maison au bout.

Un coup d'œil à sa montre.

— Vous pouvez vous installer. Dans une demi-heure, apéritif avec le patron, et puis on dîne. Après vous avez quartier libre : demain on démarre à huit heures. Faudra être d'aplomb, c'est tout.

Quelques remerciements se murmurent, on entend craquer l'escalier quand il s'en va. Henri entre le premier dans le dortoir des garçons, suivi par tout le groupe.

— Eh bien, c'est joli comme tout, soupire Paul en jetant son sac sur un lit.

Des murs blanc passé, du lambris au plafond, lasuré année après année, qui finit en teinte chocolat. Au sol, des vieilles voliges de sapin, brutes et propices aux échardes, font office de plancher. Les lits sont en métal. Quand Malo jette son sac sur l'un d'eux, le sommier grince. Camille se précipite dans le dortoir d'en face : pareil. Elle revient en faisant une moue aux trois filles qui l'interrogent du regard.

— Allez, rit Henri, plus qu'une semaine.

Camille se passe une main sur le front, enlève sa veste et ramasse son sac.

— Je vais prendre une douche. J'en peux plus de cette chaleur. On dégouline.

— J'espère qu'ils ont un chauffe-eau de mille litres, se moque Malo.

Camille fait un pas en arrière, sourcils froncés. Elle jette la veste roulée en boule sur lui, il l'attrape au vol, la coince sous son bras.

— File, je t'attends.

Malo sort une cigarette qu'il met au coin de sa bouche sans l'allumer, il regarde s'installer Henri et l'autre type, ce Paul, un étudiant en géographie. Par la fenêtre le ciel est d'un bleu rayonnant, ça sent les vacances. Et les ennuis.

*

Parce qu'ils sont en retard, Lubin vient les cueillir au bas de la grange. Il les emmène par l'arrière de la bâtisse, longeant les prés et les bois.

— Il n'y a pas de vigne ici ? demande Henri.

30

— On n'a pas le droit de planter sur ce versant, le sol n'est pas assez argileux. Tout le parc est comme ça – Lubin hausse les épaules. Ça fait pas loin de vingt hectares perdus, c'est idiot.

Derrière la haie, Camille aperçoit soudain les chevaux et pile net.

— Des percherons ! s'exclame-t-elle ravie. C'est à vous ?

— Au patron. Il les a récupérés il y a des années alors qu'ils partaient à l'abattoir.

— Ils sont énormes ! crie Charlotte. Ils s'appellent comment ?

— Nif-Nif, Naf-Naf et Nouf-Nouf, plaisante Henri.

Paul renchérit. *Le Bon, la Bête et le Truand ?* Les filles s'attardent avec un sourire devant les masses grises nonchalantes plongées le nez dans l'herbe, les crinières transpercées de soleil. Et puis le rappel à l'ordre de Lubin, qui finit par cracher les trois noms pour les décoller de là : Titan, Moloch et Chronos. Paul lâche un petit sifflement en hochant la tête. *Joli. Et gai…*

— Allez, insiste Lubin. On y va.

Il a aperçu la silhouette d'Octave là-bas dans la cour, derrière les clématites de la verrière, accélère pour le rejoindre. Il l'a dit aux mômes : le patron a horreur d'attendre. La lumière est toujours chaude et belle. Camille fait trois pas dansants, suit le regard de Malo ; lui aussi a deviné la présence d'Octave et penche la tête pour le voir, mais avec les fleurs et la distance, c'est peine perdue. Il marche en tête du petit groupe, curieux comme toujours.

Ce qu'ils remarquent en premier, c'est la canne. Henri leur a raconté à tous que le Boiteux a réchappé d'un terrible accident il y a une dizaine d'années et qu'il se montre peu. Dans le coin, on dit même qu'il a un sacré grain. Pour ce qu'Henri en a vu les années d'avant, c'est sûrement vrai : il vit en dehors du monde. Avec des manies, oui, il y a des petites choses qui ne tournent pas rond, on s'en rend bien compte, et on ne sait pas ce qu'il fricote avec l'autre enfermé là-haut, le « vrai » patron. Parce que le propriétaire du domaine, c'est l'espèce de fou cloîtré à l'étage. Pas Octave ; et pourtant c'est bien lui qui fait tourner la boutique.

La canne, et le regard. Même encore à vingt mètres, même gênée par les clématites elle aussi, Camille sent soudain l'hésitation de Malo quand ce regard les irradie. D'ailleurs Octave s'est figé ; de seconde en seconde son attention sur Malo devient lourde, écrasante, anormale. La pensée traverse Camille comme une décharge électrique, si ce type le dévisage de cette façon, c'est qu'il est pédé. Mais non. Henri n'en a rien dit. Ce regard pourtant ! Collée au dos de son frère, elle n'a pas le temps de se poser plus de questions : sur le perron au-dessus d'eux, Octave a vacillé. Lubin les déborde en courant, enjambe la dernière marche qui le sépare d'Octave, glisse une main sous son bras, le rattrape. *Est-ce que ça va ?* Octave se retient à la table en essayant de retrouver son souffle. Il dit tout bas : *Je vais tomber.* Du coton. Du vide. Il tangue. Lubin est le seul à l'entendre. *Je suis là. Ça va aller*, lui assure-t-il en le faisant asseoir. Malo surveille cet étrange regard qui continue à balayer l'espace, traçant de gauche à droite jusqu'à eux, pour un peu ça lui donnerait des frissons, il serre les mâchoires.

Au moment où ils arrivent tous, marquant le pas au seuil du perron, Octave s'arrache à l'étreinte de Lubin et se lève. La chaise bascule et vient heurter le mur avec violence. Juste derrière Camille, Pascale retient un cri de surprise. *Putain c'est quoi ce type*, murmure Paul. Face à eux, Octave accuse leurs regards gênés et leurs moues involontaires ; la cicatrice lui déchire la moitié du visage, descendant de l'œil jusqu'à la mâchoire en une terrible plaie blanche.

— Quelle horreur, chuchote Julie en mettant une main devant sa bouche comme pour s'empêcher de vomir.

Octave s'essuie le front d'un geste brusque, tient la canne d'une main où les veines saillent comme si on les avait passées au feutre noir. Sa voix métallique les enveloppe et les pétrifie quand il dit : *Il faut que je parte.*

Malo ne le quitte pas des yeux, glacé d'un coup. C'est Camille qu'il regarde, ce fou.

Par la fenêtre, Andreas les observe. À lui aussi le frisson court le long de l'échine, animal et dérangeant. Au rez-de-chaussée il entend claquer une porte, le bruit irrégulier des pas : Octave vient se réfugier près de lui. Il a planté les jeunes dehors avec Lubin. Andreas a vu la fille, il savait qu'Octave arriverait droit chez lui, dans son antre au bout de la maison.

L'aile sud. Là où personne ne va, jamais. Un couloir désert fermé sur des pièces qui ne servent à rien. Cela fait des années que cette aile abrite la folie d'Andreas, son désespoir, cette colère qui n'a pas pu passer. Il cache dans un tiroir les clés de chaque porte ; aujourd'hui même Octave ne sait plus ce qu'il y a derrière. Rien peut-être, que des serrures verrouillées. L'aile sud est silencieuse comme seuls le sont les endroits morts. De la poussière sur les rares objets qui restent. Sur Andreas aussi, dans son regard délavé, dans ses mains qui s'agitent. À cause des gens dans la cour.

Comme chaque année il n'irait pas les voir, c'était acquis. Il ne descendrait jamais les escaliers. Sa place est définitive et elle est en haut, solitaire, pour sa vie entière dont il mesure l'étendue, trente ans encore, peut-être quarante. Les gens en bas ne l'intéressent pas. C'est pour cela qu'Octave est là, et d'une certaine façon Lubin. Pour lui éviter ces rencontres-là. Même si les cris et les rires des semaines de vendanges continuent à monter à lui chaque année comme des tortures. À Octave qui hausse les épaules, il crache son mépris. Il le regarde s'éloigner le cœur serré, devinant déjà les sentiments qui le divisent, et ses vaines tentatives pour se mélanger aux autres certains soirs. Andreas est résolument hostile à ces incursions dans des vies qui ne le concernent pas. Trop abîmé pour revenir au monde. Seul Octave pousse encore la porte de sa chambre.

Depuis dix ans les murs de la grande chambre se referment sur lui, de plus en plus près, de plus en plus serrés. Parfois il doit tendre le bras devant lui pour les repousser ; c'est ainsi qu'il s'explique les microfractures qui lui soudent les doigts peu à peu, à force d'obliger les murs à reculer, coups et imprécations mêlés. La nuit ils reviennent inlassablement. La guerre n'en finira jamais entre eux et lui.

Les murs se referment et il les laisse s'approcher, parfois jusqu'à le frôler, parfois si proches que, la tête bloquée sur le côté, il ne peut plus la redresser. Il est là comme entre deux plaques qui lui appuient sur la poitrine et dans le dos, et l'oppressent, et l'étouffent. Même l'air se raréfie. Les mains plaquées contre les cloisons, il sent craquer les premiers cartilages. Alors il s'arque, se rebelle, les écarte en vacillant sous l'effort. Il se réveille en criant.

Octave se glisse jusqu'à lui près de la fenêtre. Andreas dit dans un souffle : *J'ai vu.* Sa voix se noie.

Dieu. Elle.

Sa silhouette fine et nerveuse, son visage qu'il ne distingue pas bien, ses cheveux blonds et courts. Elle.

Comme Octave tout à l'heure, il chancelle. C'est idiot ce drôle de vertige qui le prend là, l'émotion peut-être, le choc, ce doit être cela, oui. Un chuchotement comme un appel au secours :

— Octave.

Ils regardent tous les deux cette fille. Oui, deux fous accrochés à la fenêtre. Andreas sent la pression de la main d'Octave sur son bras, ferme, douloureuse même, les mots qui sortent rauques de sa gorge.

— Ce n'est pas possible. Hein, que ce n'est pas possible ?

Alors du fond du corps d'Andreas le son s'échappe comme une plainte, *Laure.*

— Non !

Octave a murmuré ce cri pour ne pas être entendu.

*

Car Andreas ne descendrait pas. Mais ce qu'il n'avait pas prévu des gens dans la cour, c'est cette chose d'eux qui monterait jusqu'à lui.

Lubin coupe le gros pain doré et pose les tranches dans le panier, le fait glisser jusqu'à Henri. La table regorge de plats froids qu'ils regardent tous avec envie. Deux bouteilles de rosé au milieu. Dehors, il fait nuit à présent.

— Servez-vous, marmonne Lubin. Y a pas de boniche.

À côté de Camille, Julie se lève.

— Je vais la faire, alors. Quelqu'un veut des viandes froides ? De la salade ?

Les assiettes se tendent, les voix se croisent, finalement les plats circulent d'eux-mêmes et se vident peu à peu. La conversation peine à se lancer cependant, l'intimidation peut-être. Lubin garde les sourcils froncés, l'air perplexe. Henri débouche la première bouteille. Un geste en suspens, l'hésitation au moment où il la tient en l'air – il regarde sur sa droite.

— Du vin, monsieur ?

Au bout de la table, Octave avance son verre.

*

Mais l'ambiance festive finit par prendre le dessus et à huit ils oublient peu à peu cette drôle de présence, installent leurs rires et leur chahut autant qu'à un repas de mariage. Le petit rosé y est pour quelque chose, et

37

Lubin vérifie d'un coup d'œil qu'il peut ouvrir une bouteille supplémentaire quand les deux premières sont finies ; Octave acquiesce d'un signe de tête imperceptible et seule Camille remarque ce minuscule dialogue entre les deux hommes. Dans leur échange de regards se tiennent face à face la nécessité que le groupe devienne une équipe et la probabilité de leur état le lendemain matin. Et puis un haussement d'épaules : à eux de voir. Malo appelle la bouteille d'un large geste du bras et Camille lui met un coup de coude – trop tard, ils ont déjà tous trop bu. Huit travailleurs comme à un banquet, qui mélangent fromage et rosé sans embarras en riant et en commençant à raconter des histoires paillardes.

— Tu as un cercueil à côté de ta boîte aux lettres, dit Henri tout à coup.

Lubin sursaute.

— Hein ? Ah ! Oui. Tu penses. C'est pour le patron, ça – un regard coulé vers Octave, et encore une fois celui-ci donne son consentement d'un cillement. Ils ne nous aiment pas, par ici. Il a fini par s'y faire. C'est lui qui l'a planté sur le pieu au lieu de le balancer comme les dix premiers.

Pour la première fois, Octave esquisse un sourire, une pâle mimique qui ne tire pas un trait de son visage, si légère, un instant Camille pense avoir rêvé. Un sourire estompé avant d'avoir vu le jour. Le dîner se poursuit avec cet étrange convive, huit qui braillent et le neuvième qui ne dit rien. Quand parfois on lui pose une question, c'est toujours Lubin qui répond. Les rôles sont réglés au millimètre. Octave n'ouvre pas la bouche, pas même pour parler des vignes et du travail qui les attend, du millésime de l'an passé et des ajouts qu'il faudra faire cette année où le soleil est venu trop tard. Parce que le raisin a besoin de soleil, de beaucoup de soleil. Il faut que ça sucre. Il faut que l'alcool monte.

Mais ils s'en moquent ce soir, les jeunes, du champagne et des cépages, il sera temps demain, demain où ils annoncent si chaud que ça craquerait bien en orage à la fin de la journée, ils sont si loin de cela qu'ils disent qu'ils s'en foutent, qu'ils rentreront s'il pleut, et Lubin tape du plat de la main sur la table en énumérant la taille des cirés épais rangés dans le vestibule. Octave les observe toujours. Saisit plusieurs fois le regard de Camille qui sent peut-être le poids de son attention sur elle, elle est assise deux places à sa gauche et quand elle parle il aspire les vibrations de sa voix de fumeuse, une voix trop basse pour une fille si jeune et si mince, qui lui donne des frissons jusqu'au bas du dos, il serre les poings sous la table. L'intonation de Laure là aussi, grave et chantante à la fois, il voudrait crier : *Mais d'où tu sors cette putain de voix ?*

Il faut que tu y ailles, a dit Andreas. *Pour voir.* Le seul surpris ç'a été Lubin, les autres n'en savent rien qu'il ne dîne jamais avec eux, les autres années il les croise au pressoir le soir et s'en tient là. Sauf peut-être les deux ou trois d'entre eux qu'il lui semble reconnaître. Mais ils n'existent pas à cet instant, personne n'existe, que cette fille qui est le portrait de Laure et qui les replonge Andreas et lui dans le fracas des tôles brisées d'il y a dix ans. Un clone, une jumelle, mis à part ces cheveux étranges qui agrippent la moindre lumière. Camille subit l'examen en silence depuis le début du dîner, elle est habituée. Elle connaît par cœur les réactions devant ses cheveux blonds et ébouriffés avec leurs mèches blanches presque irréelles, cela fait un drôle d'effet la première fois, elle le sait. Elle sait aussi que cela passe, même si Octave s'attarde et l'examine depuis trop long-temps, avec ce visage balafré qu'elle ne peut s'empê-cher d'épier du coin de l'œil à son tour. Il s'est mis sur leur droite pour se montrer le moins possible, elle en est sûre. Mais dans le grand miroir horizontal accroché en face d'eux, relevant lentement les yeux, elle le voit tout à loisir. Le visage, côté droit. La chair labourée, tumé-fiée au bout de tant d'années ; cette cicatrice blanche qui descend du front à la mâchoire. Oui, c'est vrai, ce qu'Henri a dit : Octave est ravagé à en faire peur.

Lui aussi observe Camille droit devant sur le miroir, leurs regards se croisent. Elle sursaute. Ses yeux à lui reviennent à la cicatrice, qu'il contemple sans émotion, sans frémir : question d'habitude, sûrement. Un visage mort et familier qui ne lui arrache plus un soupir. Camille suit ses pensées sans les connaître, captivée par le miroir, par le changement de ses traits. Parce qu'elle est forte, elle s'entraîne à regarder le visage déchiré, essayant d'apprivoiser le dégoût à coups de clignements d'yeux, presque un jeu, voilà, si c'était un jeu elle n'y prêterait pas plus attention que ça. Ça marche. Ces curieux regards la gênent moins, elle observe Octave plusieurs secondes sans ciller.

Dans le miroir elle le voit tourner la tête vers elle.

Dans le miroir il semble très près, bien sûr que c'est une illusion, Pascale les sépare de toute sa masse, une presque obèse, et un instant Camille ne pense plus à Octave qu'elle appelle le Boiteux dans sa tête, la grosse prend toute la place, elle a trente-cinq ans à tout casser et le cœur déjà enveloppé de graisse, ça finira mal. Octave la regarde toujours à travers le miroir.

Dans son dos la sueur la brûle en lui coulant sur la peau. Ce n'est pas seulement la chaleur ; une angoisse ridicule l'étreint. Elle pose ses mains à plat sur la table et les scrute machinalement. Elle lutte un moment, s'obligeant à penser à autre chose. La première image qui lui vient est une bouteille de lait, elle ne sait pas pourquoi. Elle s'en saisit. Elle articule en silence, *blanc, blanc, blanc.* L'émotion passe. Respire.

Au moment où elle relève la tête vers le miroir, elle devine la présence tout contre son visage et pousse un cri en manquant basculer sur sa chaise. Malo lui prend le bras. *Camille ça va ?*

— C'est toi ?

— Hé, ça va ?

— Oui. Oui !

— On va boire un dernier verre au café, tu viens avec nous ?

— Oui…

Il ne trouve pas son regard et s'étonne, parce qu'elle continue à fixer quelque chose devant elle ; alors il cherche lui aussi, et se fige d'un coup. Dans le miroir Octave les contemple.

— Il y a un problème ? murmure-t-il.

— Non.

— Sûre ?

Un hochement de tête. Il renâcle à son oreille.

— J'aime pas comme il te regarde.

*

Octave épie toujours son profil gauche sur le miroir. *Le bon côté.* Cela fait des années qu'il le regarde. Des années que ça ne sert à rien et que les autres l'observent en frissonnant chaque fois.

Les autres. Il est avec eux comme un animal sauvage crevant de faim à la bordure d'une ville : assailli de désirs, tenté chaque instant d'aller les voir et les découvrir, et le corps hérissé de peur, de méfiance, de jalousie. Il leur sourit parfois, quand il les croise. Ils lui sourient aussi, et ils se retournent sur son passage. Il connaît bien leurs silences et leurs murmures. Chacun d'eux lui crie : *Tu as vu ? C'est lui.* Elles sont dures ces semaines-là.

Chaque année, quand Andreas ferme l'ordinateur en disant : *Ça y est, c'est le moment*, le même silence se fait. Et pourtant Octave sait que rien n'y fera, qu'Andreas ne descendra pas et que son existence à lui se justifie ainsi, être à l'interface des deux mondes, faire le lien entre deux réalités. Souvent il va à la fenêtre, regarde au loin les champs de vignes, comme s'il pouvait les faire disparaître. Andreas le rejoint. Tous deux pensent la même chose sans doute. *Déjà.* Mais ils ne le disent pas. Dans la pharmacie, Andreas vérifie les réserves de médicaments.

Octave voit s'éloigner Camille dans le miroir. Il reste là sans bouger tandis que l'un après l'autre, ils quittent la salle pour aller au café. Il les méprise pour cela. Essaie de s'imaginer les accompagnant, boiteux et difforme, sait que c'est impossible, barre l'image dans sa tête. S'entraîne à les détester. La promiscuité lui est insupportable et ces autres viennent à lui comme des mouches au coin des yeux, exaspérants et tenaces. Il leur crache au visage. Qu'ils aillent au diable.

Sauf elle.

*

La nuit. Andreas est couché nu sur les draps, les yeux ouverts depuis des heures sur la longue fissure au

42

plafond. Une nuit claire, c'est la pleine lune. Devant la baie ouverte, le rideau ondule au gré de quelques souffles de vent tiède. D'ordinaire Andreas se repaît de ces nuits chaudes où dormir est vain, parce que les grillons chantent trop fort. Des crissements auxquels le vallon fait écho, et qui résonnent en se mélangeant à la cacophonie des grenouilles là-bas.

D'habitude Andreas s'assied sur le balcon et s'imprègne de ces bruits d'été, les yeux fermés, les lèvres murmurant quelques mots ou les fragments d'une vieille chanson. Il y a des années, Laure a regardé la nuit d'ici, elle aussi. Elle aimait le parfum des framboises écrasées et le roucoulement des tourterelles le matin. Mais tout cela lui semble si loin.

Des bruits dehors, feutrés mais rieurs. Ce sont les gamins qui reviennent. Andreas jette un coup d'œil au réveil dont les aiguilles brillent, verdâtres, dans l'obscurité. Une heure. Ils rentrent tard. Elle est avec eux sûrement – il essaie de repérer sa voix parmi les autres, en vain. Les sons s'atténuent et disparaissent. Ils ont dû refermer la porte sur eux.

Les bras étendus le long du corps, Andreas étudie la fissure.

La sueur lui coule dans les yeux. À moins que ce ne soient des larmes qu'il sent glisser jusqu'à son cou. Il voudrait les essuyer, mais ses mains tremblent et son corps est trop lourd.

Dieu qu'elle lui ressemble.

JOUR 1

Dans le camion, une mouche tape contre les vitres. Une mouche perdue sans doute, car à cette heure-là même les insectes se terrent en attendant un peu plus de chaleur. Assise à l'arrière de la camionnette, Camille ferme les yeux, coincée entre Malo et Charlotte. Julie, au bout du banc, s'accroche à son épaule. En face d'elle, Henri, Paul et Pascale somnolent aussi ou font semblant, quelques minutes avant de découvrir les vignes, dernier répit avant que Lubin ne les balance au travail. Camille a jeté un coup d'œil à la grosse, qui prend deux places sur l'autre banc, à ses jambes épaisses calées contre celles d'Henri ; bon courage mon pote. Elle sourit en s'endormant à moitié.

Le deuxième camion roule en tête, emmenant les autres. Les gens d'ici. *Des vieux*, a murmuré Julie en les voyant arriver ce matin. Ils se sont salués du bout des doigts et ça en serait resté là si Henri n'avait pas sauté au cou d'une bonne femme épaisse, les cheveux courts et bouclés, en braillant *Madeleine !* Madeleine… Cinquante-cinq ans qu'elle fait les vendanges ; aujourd'hui les jeunes viennent l'aider quand ils ont fini leur rang, elle peine. Mais elle n'arrêtera que quand elle ne pourra plus arquer, sa retraite n'y suffit pas. L'an dernier, son ange gardien, c'était Henri. Il sait tout d'elle ; il leur a déjà tout raconté la veille. Et le voilà les yeux brillants d'excitation, et la vieille qui lui a claqué deux bises en le tenant aux épaules, et qui voulait savoir comment ça allait depuis la dernière fois.

— On embarque ! a crié Lubin.

Alors ils sont montés dans les Trafic, chacun le sien, pas de mélange, les locaux d'un côté, les étrangers de l'autre. Un peu cliché. Henri a dit à Madeleine : *À tout de suite.*

Dix, douze minutes de trajet. Quand la camionnette ralentit, Camille soupire. Le même sentiment lui vient que petite à l'école : pourvu qu'ils démarrent calmement. Qu'elle ait le temps de s'y mettre. La façon dont Lubin fait coulisser la portière comme s'il l'arrachait anéantit ses espoirs.

— Allez, les jeunes !

— Parle doucement, putain, gémit Malo en se plaquant les mains sur les oreilles.

— Allez les mômes, tonne Lubin en s'esclaffant cette fois.

— Ce salaud veut notre peau.

— On en causera ce soir, va. Arrive ! Georges a le carton de sécateurs dans l'autre camion. Servez-vous, prenez un panier et voilà, c'est parti. Tu vois ce champ de vignes ? Pas très long, mais bien large. Quand on aura fini, il sera temps d'aller se coucher. Et tu dormiras comme un bébé.

*

Huit heures de vendanges. Le temps de mesurer à quel point la vie urbaine est reposante. Le temps de faire la différence d'avec les salles de sport où l'on s'agite, de faire des choix successifs entre les reins et les genoux, d'avoir des ampoules sur la paume, là où le sécateur frotte à chaque grappe que l'on coupe. Ce premier jour, Lubin a fait le bilan : sept pansements sortis de la trousse de pharmacie, deux aspirines 1 000. On est dans la moyenne. Une chute – par glissade. Pas de mal. Une bande autour d'un poignet. Il n'y a que les égratignures et les gémissements qu'il ne compte pas. Il espère seulement que les jeunes de la ville n'auront pas d'insolation, il a fait chaud aujourd'hui, comme peuvent l'être certains jours de septembre, vingt-huit ou vingt-neuf degrés tout du long.

— Georges, appelle-t-il, foutu Portos ! Il reste huit caisses. On charge avant de partir.

Un bonhomme pas grand, la quarantaine râblée, le rejoint avec un grand sourire. Georges travaille là à l'année ; il connaît Lubin par cœur.

— J'aime toujours autant ton humour, dit-il.

— M'énerve pas. On n'a fait que quatre-vingt-six caisses aujourd'hui, ça traîne.

Georges embrasse les vendangeurs d'un geste.

— Faut fouetter tes jeunes, pas moi.

— Tout juste un pressoir, tu te rends compte.

— Je sais bien. Ça ira mieux demain. Le premier jour ils se mettent en route, ils ont pas l'habitude.

— J'espère !

— Tu dis ça chaque année. Et chaque année ça se fait.

Lubin laisse échapper un petit rire. *Ta gueule, tiens. Aide-moi.* Ils balancent les caisses sur le plateau du camion. C'est l'heure de rentrer, ils s'en moquent ; les coupeurs attendront. Ils n'avaient qu'à travailler plus vite.

Le dos appuyé contre la tôle, les jambes raides et douloureuses, Camille attend que la barre installée sur son front s'atténue pour s'asseoir avec les autres. Malo lui pose une main sur le bras ; il ne vaut pas mieux qu'elle cependant. Un regard entre eux. Ils éclatent de rire – pas trop fort, à cause du mal de tête.

— Pute borgne, commente Malo en se frottant les yeux.

— C'est à cause d'Henri tout ça, c'est lui qui nous a dit que ça valait le coup.

— On devrait déserter. On n'a rien signé.

Elle sourit. *Faut voir. Allez grimpe : pas question qu'on reste là. Je rentre, je dors.* Lubin arrive près d'eux et les secoue gentiment.

— Alors les marmots, c'est dur ? – il lance une légère claque sur l'épaule de Camille. Tu y vas, petite, dans les rangs, c'est bien.

Elle rosit de plaisir. Met un coup de pied à Malo qui se moque d'elle. Lubin s'esclaffe et prend les clés du camion, lève un doigt.

— Et ce soir c'est ma tournée, on ira dîner chez le voleur du Petit Café ! C'est là qu'on va voir si vous en avez, je vous le dis.

*

— Tout juste quatre tonnes. Ça n'a pas marché bien fort, ça ira mieux demain. Ils auront pris le coup.

Lubin a répété les mots de Georges, fait un geste d'excuse en direction d'Octave. Celui-ci hausse les épaules. Cela n'a pas d'importance – pas beaucoup. Il s'approche de la grande porte du bâtiment, l'ouvre pour aérer. L'odeur entêtante du raisin, déjà. Georges et Lubin ont tout déversé dans le pressoir il y a une heure.

— On dîne au Petit Café ce soir, rappelle Lubin.

Octave acquiesce. Dehors, le petit groupe attend déjà son contremaître ; il les entend bavarder sur la terrasse. Georges finit de rincer les caisses au jet d'eau.

— Ils n'aident pas, dit Octave.

Lubin soupire.

— C'est pas leur boulot.

— Je ne suis pas d'accord, reprend Octave en détachant les syllabes. C'est le travail de tout le monde.

— Demain ils le feront, à tour de rôle. Aujourd'hui ils sont rincés.

Octave s'est avancé en boitant dans l'ombre de la porte et les regarde. Non. Il *la* regarde, seulement elle. Cette fille polaire avec ses cheveux impossibles. Un frisson. Laure, comme si c'était hier. Et qu'adviendra-t-il cette fois, d'elle et de lui ? Les bras tendus à s'en faire mal, il ouvre les paumes au ciel. Tous ses muscles protestent quand il les déplie, cherchant dans la douleur un exutoire à ses pensées dérangeantes. Il répète dans un murmure en priant pour que le vertige lui passe : *Qu'adviendra-t-il ?* Il sent le serrement dans sa poitrine. Un coup d'œil furtif vers les fenêtres d'Andreas. Mais gêné par la bâtisse en angle, rencogné derrière la porte, il faudrait qu'il se penche. Il ne distingue rien.

Sauf elle.

Et d'un coup, l'autre. Le frère.

Son regard dardé dans sa direction. Octave recule d'un pas mais il sait que c'est inutile. Malo l'a repéré. De loin, il le voit prendre sa sœur par le bras. Elle tourne la tête vers le pressoir, vers lui, son âme à vif, son corps brûlé par les plaies et cette sorte d'étrange désir qu'elle a ressuscité en quelques heures. On la tire sur le côté, elle fait un pas en trébuchant. Sort de son champ de vision. Octave a l'impression qu'on lui tire un lambeau de chair du fond de la poitrine.

*

Lubin tend la main et se ressert, accoudé bas, remplit le verre vide de Paul en en mettant à côté. Il a fini par payer la bouteille entière pour la garder sur la table, au rythme où ils la descendent.

— Pays de merde, murmure-t-il.

Il leur a dit ce qu'il en pensait, de ce bourg et de ses huit cents habitants si l'on ment un peu. Après la Seconde Guerre ils étaient quatre mille – trois mille neuf cent une fois qu'on a eu compté les morts. Et puis, en quelques décennies, l'exode rural et l'appel des centres urbains ont eu raison de lui. Les seuls qui sont restés, ce sont les vignerons. D'année en année, la dépopulation s'aggrave au rythme des enterrements : en 2001, la mairie a recensé trois nouvelles installations pour dix-sept décès. Aucune installation en 2002, mais encore neuf décès. Projection à l'horizon 2030 sur un scénario stable : moins de cinq cents survivants, mais l'un des bleds les plus riches de France ramené à la tête de pipe. Des familles de riches bouseux, des connards mariés entre eux pour regrouper les parcelles, qui achètent des Mercedes en continuant à péter à table. Ça ne sait que compter ces gens-là ; mais ça, ça sait le faire. Au moins Octave est-il un patron éduqué. Et il paie plutôt bien. Quant à l'autre ; l'autre… – il se tait un instant, se secoue comme pour se sortir d'une pensée amère.

— Andreas, dit Henri. L'année dernière j'ai entendu un nombre de choses sur lui, pas croyable.

— C'est normal. Quelqu'un comme ça, qui ne sort jamais. Qui ne veut pas se mélanger. Du coup on invente.

— Y avait une vendangeuse, une vieille, que je n'ai pas revue cette année… elle jurait quelle l'avait surpris une nuit en train de rôder autour des maisons en faisant des bruits bizarres.

— Et d'égorger un gamin, et de se transformer en loup-garou, soupire Lubin. On a tout entendu ici. Mais non, c'est juste un gars craqué de la tête. Un type qui s'est pas remis de la mort de sa femme et qui ne veut plus voir personne.

Charlotte frissonne. *Quelle vie… et quelle idée de s'installer ici.* Lubin ricane.

— Ici y avait les vignes. Y avait plus qu'à poser son cul.

— Faut le ramener, sourit Malo, il est fait comme un rat.

— Tais-toi, le môme. Celui qui m'a vu bourré, il est pas né.

— On va rentrer de toute façon, intervient Henri. Il est minuit passé. Demain on travaille.

— Enfin le meilleur champagne, c'est le nôtre, reprend Lubin dans un souffle. Ils peuvent dire ce qu'ils veulent ces peigne-cul, ils savent pas comment faire des bulles aussi fines. Nous, au moins, notre jus, il sert pas d'entrée de gamme chez un gros négociant qui change juste l'étiquette.

Cette fois c'est le patron du café qui vient ramasser la bouteille vide.

— Allez, Lulu, faut y aller maintenant, je vais fermer.

Lubin soupire, se frotte le visage avec ses mains trop grandes et trop rêches. Les pommettes rougies, il repousse sa chaise. Les jeunes se sont levés et l'attendent, Henri reste à côté de lui au cas où. *Ça va*, marmonne-t-il en l'écartant d'un geste.

Il rejoint la voiture, le pas traînant. Mais droit.

Un trajet minuscule, ronronnant et silencieux.

À l'arrivée, Malo le prend à part.

— Faudrait que je te dise un mot, là, c'est possible ?

*

Il est assis seul avec Lubin, il se balance sur le fauteuil sans rien dire, le perron est désert. Ils ont un café à la main, c'est Malo qui l'a proposé et qui est allé le préparer. Ils devinent au-delà de la verrière les prairies qui ondulent, seul le bruit de l'air leur parvient, vent d'ouest. Léger. La tasse fait un bruit sec quand Malo la pose sur la table en fer. Il allume une cigarette, tousse une ou deux fois. S'adosse et sent la froidure du métal sur sa peau. Lubin a décliné la cigarette qu'il lui offrait. *J'essaie de lever le pied.*

— Oho, a dit Malo, j'ai déjà entendu ça quelque part…

C'est sympa la nuit à la cambrousse, rien à voir avec la ville. Il y a cette odeur de foin et de résine de pin qui flotte. De temps en temps, le cri d'un animal, une chouette ou un truc comme ça. Les collines sont gris et bleu. C'est joli mais ça serre au fond de sa gorge.

— Il a quoi, ton patron ? Octave je veux dire. Pas l'autre.

Malo entend déglutir à côté de lui, secoue la tête gentiment.

— Hé, ce n'est pas un piège. Mais je ne suis pas dingue, il se passe quelque chose, non ?

— Oui, non, dit Lubin dans un seul souffle. C'est… c'est seulement quelqu'un de compliqué.

— Je peux te faciliter la tâche. Ça concerne ma sœur.

Malo jurerait qu'à la petite lumière accrochée au mur Lubin a tiqué. Il s'attendait à le voir acquiescer, mais pas à se refermer comme une huître peureuse, et cela l'inquiète soudain, il sent les palpitations dans son cœur. *Il faut que tu me dises*, continue-t-il, *c'est idiot mais je le sens pas, là. C'est pas clair.*

Lubin se frotte le visage, soupire en reprenant contenance.

— Non, faut pas s'inquiéter. C'est juste qu'il a des souvenirs. L'accident, tu sais bien sûr, tout le monde le sait. Ça le fout en l'air. Ça va passer.

— Quel rapport avec Camille?

— Il n'y a pas de rapport avec elle.

— Tu me prends pour un con. Il s'est passé quelque chose dès qu'il l'a vue. Depuis, il la regarde… il la suit… je sais pas, c'est comme un chien qui reniflerait une piste, ça craint.

— Cherche pas. C'est déjà arrivé une fois, une fille qui lui a tapé dans l'œil, une blonde pareil, toute jeune, toute menue. Ça va lui passer.

— Ça ne me suffit pas, renâcle Malo. Ça ne me plaît pas, mais à la limite, ce ne sont pas mes affaires. Seulement il n'y a pas que ça. Je ne veux pas qu'il touche à ma sœur. Ce type est un nid à embrouilles, ça se sent tout de suite. Et Camille, elle ne s'en rend pas compte; elle voit juste qu'elle lui plaît, ou quelque chose comme ça. Moi je le trouve flippant. Oui, c'est le mot.

Lubin baisse la voix.

— Il a des côtés bizarres de temps en temps. Il a pas eu la vie simple. Mais je t'assure, ça va aller. Ça a toujours été.

Il lance un regard prudent vers les fenêtres de l'aile sud, comme s'il craignait d'être entendu. Répète dans un souffle : *C'est compliqué.* Malo hoche la tête avec un petit geste contrarié.

— Il était comme ça avant l'accident ?

— Je ne le connaissais pas. Je suis arrivé il y a quoi, sept huit ans, quand le gars d'avant a pris sa retraite.

— Il y a déjà eu un problème avec une autre fille, tu dis ?

— Pas un problème, insiste Lubin. Mais ça l'avait secoué.

— Il s'est passé quoi ?

— Rien. Les vendanges se sont finies, elle est repartie, et ça en est resté là.

— Et il n'a pas de femme ?

Lubin hausse les épaules en montrant son propre visage.

— C'est difficile. Imagine.

— Il vit tout seul alors, murmure Malo. Enfin, avec l'autre.

Il indique l'étage d'un geste.

— Celui-là. Tu sais, quand vous en parliez tout à l'heure, euh… Henri l'a pas dit mais tout le monde raconte qu'ils sont ensemble, si tu vois ce que je veux dire.

— Oh non, surtout pas. Je sais que ça se dit beaucoup. Mais non, non, ça j'en suis sûr. Ils font chacun leur vie – enfin, leur vie… Il faut du cran après ce qu'ils ont traversé. Et Octave est quelqu'un de bien.

Malo hoche la tête.

— D'accord. Et l'autre ?

— Andreas ? C'est lui qui conduisait le jour de l'accident. Il ne s'est jamais remis d'avoir tué sa femme. Il est devenu fou.

*

Derrière la fenêtre, Andreas les montre d'un mouvement du menton.

— Qu'est-ce qu'ils foutent ?

— Un café avant d'aller dormir, répond Octave mécaniquement. Ils ont le droit.

— Ce n'est pas ça. De quoi ils parlent ?

— Je sais pas.

— Tu ne sais jamais.

— Quelle importance, vraiment ?

— Tout a de l'importance.

— Peut-être qu'ils parlent de cette fille.

— Et si c'était elle, murmure Andreas – mais Octave secoue la tête. *Tu le sais bien que ce n'est pas elle. Elle est si jeune. Et puis ces cheveux.*

— Elle lui ressemble pourtant. Fort.

— Oui. Ça, oui.

Ils regardent Lubin se lever, tapoter l'épaule de Malo quand il passe devant lui pour regagner sa bicoque. Andreas ne dit rien, pensif. Contemple Malo à nouveau.

— Octave.

— Oui.

— Laure. C'était ma femme, hein.

— Oui. Pourquoi tu dis ça ?

— Je veux que tu t'en souviennes. Parce que je te connais.

Octave ne bronche pas. *Bien sûr.* Andreas le chasse d'un geste. Il entend la porte se refermer derrière lui.

Dans la pièce éclairée par la lune, il cherche son portefeuille à tâtons. Il trouve la photo tout de suite et la déplie. L'image le happe. Du bout du doigt il en suit les contours, l'effleure d'une caresse. Passe sur les cheveux qui n'ont pas de mèches blanches et qui l'embarrassent tout à coup. Il jette un œil dans la cour, là où Camille se tenait quelques heures auparavant. Mais il n'y a plus personne. Andreas ouvre la fenêtre et tend la main vers le vide. Un instant, la certitude qu'un parfum flotte encore le fait inspirer profondément, autant que son souffle haché le lui permet; et puis c'est impossible il le sait, et ce doit être le raisin, ou une rose fanée au bout du jardin. Un pâle sourire. *Salut*, murmure-t-il pour lui-même.

Dans la nuit, la voix de Laure lui répond sur le même ton : *Bonjour Andreas…*

Un peu avant l'aube, alors que la campagne a commencé à griser et qu'il a remonté le drap sur lui avec un frisson, il sombre dans un mauvais sommeil.

JOUR 2

Le jour s'est levé sur un soleil de fin d'été éclatant, un soleil d'Orient, bleu derrière et voilé encore, promesse d'un temps magnifique. Il s'est levé, cela fait des heures. Depuis, la brume est tombée, s'évaporant du ciel et des prairies. Seul reste le bruit déjà sec de l'herbe quand on marche dessus.

Lorsque Camille rentre préparer une seconde cafetière, délaissant la terrasse où les autres finissent de bavarder, elle ignore qu'Octave a investi la cuisine dont elle pousse la porte. D'abord elle ne le remarque pas, immobile dans le contre-jour, presque invisible dans le recoin où se niche la grande armoire. Elle remplit la réserve d'eau, met un filtre, ouvre le paquet de café et compte les cuillères. Faisant cela elle chantonne faux, comme au seuil d'une journée de vacances qui aurait commencé trop tôt. Une note plus aiguë ponctue son dernier geste – *Neuf, dix*. Derrière elle une voix s'élève, rauque, montée des profondeurs de la terre.

— Douze.

Elle se retourne avec un petit cri, changeant de visage en découvrant Octave. Lui ne bouge pas, comme si cela pouvait la rassurer, il repense à ce qu'il vient de dire. Douze. Définitivement ce sera le premier mot qu'il lui aura adressé. Aurait pu mieux faire, mais c'est trop tard.

— Pardon ?

Il fait un pas vers elle.

— Douze cuillères, explique-t-il. Si tu veux éviter de faire de la pisse d'âne avec cette cafetière.

— Oh. D'accord.

Mais elle ne bouge pas, accrochée à son regard à lui qui la contemple sans ciller, fasciné et dérangeant, et même la cicatrice semble se replier derrière l'éclat des yeux gris qui saillent sur le visage osseux et halé – la gueule noire, ils l'appellent par ici, c'est Henri encore qui leur a raconté.

Les mots, les images défilent dans la tête de Camille tandis que son regard traverse Octave. En toile de fond, le son de sa voix, qu'aucun d'eux n'a découvert jusque-là : une sorte de rocaille dont les derniers frissons s'atténuent à peine sur sa peau. Elle essaie de lui donner un âge, n'y parvient pas, la quarantaine peut-être, le double d'elle. Toujours le frémissement le long de ses bras. Elle pense : *Merde. Je fais quoi, là ?*

Lui s'emplit les yeux d'elle. Elle le déborde. Il crève d'envie de lui parler, sa voix s'accumule dans sa gorge et l'étouffe. La toucher même du bout des doigts pour sentir sa présence. Il n'ose pas. Pas seulement à cause d'elle : il y a cette panique rentrée en lui, qui le paralyse. Et les mots d'Andreas qui parasitent son cerveau. *Laure était ma femme.* La cafetière est juste devant lui, avec son parfum rond et grillé.

— Ils sont sur la terrasse ?

Elle hoche la tête et il prend le café d'une main, la canne de l'autre, s'éloigne. Au seuil de la porte elle le voit s'arrêter, maxillaires contractés. Un effort visible quand il articule :

— Camille, alors.

C'est drôle l'effet que ça lui fait d'entendre son nom prononcé par Octave. Peut-être à cause de sa voix, ça lui donne une certaine puissance, un écho qu'elle n'a jamais remarqué. Dans un murmure, Octave répète : *Camille.* Elle frissonne à nouveau. Il secoue la tête. Comme si c'était faux.

*

— On est en retard, a constaté Lubin en fronçant les sourcils.

Ils se sont levés d'un seul élan. Octave a posé sa tasse sur la table ; depuis qu'il est avec eux, il n'a pas dit un mot. Mais il est là tout près de Camille. Appuyé sur la canne, avec sa silhouette tordue il touche presque son bras. Depuis la terrasse ils regardent les chevaux. Il a soufflé le nom de celui qu'il préfère – juste pour elle, à peine assez fort, elle s'est penchée vers lui pour entendre.

Même dans ce murmure elle sent les vibrations de cette voix d'outre-tombe, qui viennent se coller à son visage et lui effleurer la joue, elle sait qu'elle rougit, il s'en aperçoit, il regarde devant lui.

— On y va, confirme Lubin.

Camille attrape le sécateur qu'on lui tend, s'engouffre avec les autres dans le Trafic blanc. Un dernier coup d'œil vers le pré.

Les trois silhouettes grises.

Et devant, Octave.

*

Elle y pense la journée entière en coupant les grappes de raisin, s'entaillant la main deux fois et résignée à voir les pansements glisser à cause du jus qui leur dégouline jusqu'au coude. Les coupures lui font des élancements, ravivées par le raisin, et les sarments l'écorchent. La deuxième fois, Madeleine lui a braillé : *Faut se concentrer, petite, tu fais quoi, tu penses à tes amours ?* Et elle a esquivé le regard moqueur de Malo sur elle. Elle travaille vite, Camille, elle a le geste vif, elle s'use le dos et, quand il faut le soulager, elle s'agenouille dans les rangs argileux, tirant son panier derrière elle. Quelque chose lui plaît dans cette tâche répétitive, peut-être la conscience de prendre la suite de générations de vendangeurs qui depuis des milliers d'années se sont penchés ou agenouillés de la même façon, qu'ils écrasent le raisin au pied ou à la machine. Lorsque à son tour elle crie pour que Lubin ou Georges vienne vider son panier dans les grandes caisses, un sentiment idiot de fierté la fait sourire. Le temps qu'ils lui rendent le panier elle prend de l'avance, arrache les feuilles qui la gênent pour repérer les grappes noires, ouvre la main en grand pour les recueillir. Du bout du sécateur elle continue à couper, clac clac clac, les grappes tombent par terre, elle les ramassera après, presque un jeu, remplir le panier le plus vite possible, entendre Lubin ravi gueuler : *Mais c'est pas possible, tu piques celui des autres ou quoi ?*

À la fin de son rang, elle va aider la vieille. Malo s'insurge derrière elle. *Et moi ?*

— Toi, tu as vingt ans ! crie Madeleine. Laisse-la donc faire comme elle veut !

Camille s'accroupit de l'autre côté du rang, elles coupent chacune les grappes qui leur reviennent, ça va deux fois plus vite, la vieille n'en finit pas de louer la jeunesse qui a le respect des anciens. Elle s'est seulement assurée de la vigilance de Camille au départ. *Me taille pas les doigts, hein ?* Camille coupe en amont, revient quand elle voit une grappe oubliée, Madeleine lui dit sur le ton de la confidence : *T'inquiète pas pour la gueule noire, il en a du raisin, et du pognon comme j'en aurai jamais. Il est pas à une grappe près !*

— Pourquoi tu l'appelles comme ça ?

— Jamais un sourire. Rien que cette tronche tirée avec ses cicatrices, quand on a cette allure, on fait un effort. Mais c'est un mauvais celui-là, il le porte sur la gueule.

— Je croyais que c'était l'autre, le pire ?

— L'autre ? Tu veux que je te dise… L'autre il est bien enfermé là-haut, et la clé, c'est l'Octave qui l'a !

— Ah bon ? Ce n'est pas ce que j'avais compris.

— Je sais ce que je sais. Crois-moi, c'est pas beau, ce qui se passe là-haut.

Camille hausse les sourcils, masquant un petit sourire. Quand elles ont fini, la vieille s'assied sur une caisse renversée, la retient par la manche.

— Reste donc là un peu, use pas ta santé tout de suite. Ils vont bien finir tout seuls.

À quelques mètres, la Grenouille râle.

— Y en a que pour la vieille !

— Tu sais ce qu'elle te dit, la vieille ? Elle t'emmerde ! Et poisseux, encore !

La Grenouille se marre, finit son rang dare-dare et les rejoint. Une drôle de toute petite femme à côté des quatre-vingts kilos bien tassés de Madeleine, et à qui il manque quatre dents en haut sur le devant. Madeleine a déjà raconté que son nouvel homme lui en paierait des neuves, mais qu'en attendant il trouvait ça rassurant.

— Rassurant ? a demandé Camille.

— Bah oui, tu comprends pas ?

Depuis sa place Paul s'est esclaffé : *Hé, tu sais pas ce que c'est qu'un mec, toi, non ?*

Camille rit de bon cœur.

— D'accord, je n'y étais pas, c'est tout.

Après l'anecdote, on l'appelle la Vierge.

*

Et la Vierge contemple les champs de vignes, soupire d'une sorte de bonheur las, les bras déjà brûlés par le soleil et les sulfates.

Au dîner, la fatigue l'emporte sur l'entrain. Charlotte, Pascale et Paul se sont allongés sur les canapés en attendant le repas, pour apaiser les douleurs dans le dos et dans les jambes. Le calme est si présent que les mouches s'entendent voler autour des têtes basses. Lubin rit en leur mettant à tous des claques sur l'épaule.

— Alors les mômes, on tient pas la distance ? Courage, c'est le troisième jour le plus dur… Après, les gestes deviennent automatiques.

— La paix, maugrée Malo en se courbant en deux, les bras au sol. Quelle vie de con.

— Pourtant, c'est pas avec ce que t'as fait que tu dois avoir des crampes aux doigts.

— Quoi ? J'ai fait mon taf comme les autres.

— Je t'ai vu plus souvent le nez en l'air que dans les feuilles, mon gars. Surtout quand on était au Petit-Mont.

— Je vois même pas ce que c'est ton petit mont.

— Là où y avait l'autre équipe. Celle de Charlerat.

Malo ouvre la bouche avec un sourire. *Ah.*

— Ton frangin il est sans doute pas fait pour le travail, lance Lubin à Camille, mais pour les filles je crois qu'il est à fond.

— Pas mal vu, acquiesce Henri.

— La petite brune avec qui tu bavardais ? hasarde Charlotte.

— Ça va.

— Ouais, elle était bien roulée.

— Ça va, je te dis.

— À table, interrompt Julie en ouvrant le frigidaire. Tout est prêt et je meurs d'envie d'aller me coucher.

— T'es marié toi, Lubin ? demande Paul.

— Ha ha ! Je suis pas fou. Je l'ai été, et je crèverais plutôt que de recommencer une si grande bêtise. Donne-moi le pâté, gamin.

Ils s'asseyent autour de la table. Camille regarde cette façon si particulière qu'a Lubin de couper le pain en faisant tourner le couteau autour, on dirait qu'il pèle une orange. Il distribue les tranches épaisses. *Non merci*, décline Pascale. — *Faut manger ma grande ! Après t'auras pas de force.*

Pendant plusieurs minutes, seul le bruit des plats que l'on passe et des bouchées qui se mâchent brise le silence dans la salle. Paul chasse les mouches avec constance, il ne les supporte pas. La veille il a bombé la chambre avec un insecticide qui les a obligés à ouvrir la fenêtre pendant une demi-heure. Camille pose ses couverts, grignote son morceau de pain.

— Et alors ? interroge Lubin qui enfourne une monumentale bouchée de quiche. T'as pas faim ?

— J'ai pas beaucoup à nourrir, s'excuse-t-elle.

— Pour quarante kilos tout mouillés, tu abats un sacré boulot pourtant. Tu avais déjà fait ça ?

— Non.

Il hoche la tête.

— Bon boulot, vraiment.

Camille sourit, surveillant pour la dixième fois la porte du coin de l'œil. Mais Octave n'est pas là, et elle s'en veut de guetter sa présence embarrassante, d'avoir même les battements de cœur qui s'accélèrent quand elle croit deviner un mouvement, elle marmonne tout bas : *Une collégienne, on dirait une collégienne.* Malo surprend son regard, secoue la tête d'un air moqueur et l'épingle – elle le déteste quand il est comme ça.

— Tu attends quelqu'un ?

Henri s'esclaffe :

— Ah oui, je vois.

— Tu vois *quoi* ? gronde Camille.

Tout le monde se met à rire.

— Ressers-moi, dit Malo à Henri, garde pas la bouteille pour toi comme d'habitude.

Il lève son verre.

— À ma sœur qui attend son prince charmant ! Il ne viendra pas ce soir ; il a perdu sa canne.

Il trinque en gloussant avec ses voisins. Même Lubin, maintenant qu'il a un peu bu, le trouve drôle. Camille le regarde, lèvres pincées.

— Hé quoi ? lui lance Malo.

— Tu dis n'importe quoi.

— J'ai pas raison de dire qu'il espère te sauter, Quasimodo ?

Dans l'encadrement de la porte, raide et sombre, Octave s'est immobilisé. Pas de chance ; ils ne l'ont pas entendu arriver malgré la canne qui tape contre le sol, à cause du chahut autour de la table. Il devine la réponse exaspérée de Camille – *Connard !* – et ravale sa colère, balayant la pièce d'un regard glacial. Seul Lubin le voit soudain et se fige. Octave secoue la tête depuis son recoin, lui intimant le silence. Un doigt sur la bouche. Il recule sans un bruit. Se retire comme un vieux prédateur glissant dans l'ombre pour mieux surveiller, humilié et amer. Lubin garde les yeux rivés à la porte plusieurs secondes : mais Octave ne revient pas. Il en est à la fois soulagé et embarrassé. Furieux aussi, contre ces gamins stupides qui n'ont de respect pour rien et l'entraînent dans leurs plaisanteries minables. Peut-être qu'il aurait dû défendre Octave au lieu de rire lui aussi à l'insulte de Malo ; bon Dieu, la tête lui tourne. Autour de lui les jeunes crient plus fort – trop de voix qui se mélangent. La petite est debout maintenant, dressée contre son frère qu'elle apostrophe violemment.

— Tu veux échanger ta place contre la sienne ? crache-t-elle en ouvrant les bras. Tu aimerais qu'on parle de toi comme ça, s'il t'était arrivé la même chose ?

— Je dis juste ce que j'en pense ! J'en ai le droit, même si ça ne te plaît pas parce que tu mouilles pour ce taré !

— C'est dégueulasse ce que tu dis, Malo ! Et c'est purement dans ta tête, espèce de débile !

Henri intervient en se levant à son tour.

— Ça ne vaut peut-être pas le coup de se prendre la tête pour ça.

— Qu'il se taise alors, ce con ! s'exclame Camille en montrant son frère du doigt.

— Ça va, dit Henri en élevant le ton. Ça va, tous les deux !

— Oui, c'est vrai, lance Pascale, lâchez-nous avec vos histoires de famille. Vous n'avez qu'à régler ça entre vous.

Malo a quitté la table, rouge de colère. Il attrape son pull sur le portemanteau. Sort. Henri le suit à deux pas, a un geste pour le retenir.

— La paix ! Foutez-moi la paix !

*

70

Quand Malo rentre au milieu de la nuit, calmé, presque heureux, Camille se glisse dans le couloir. Elle le guettait, forcément.

— Tu étais où ? murmure-t-elle.

— Fallait que je me détende.

— Tu étais avec la brune ?

— Ouais. Émilie.

— Je t'attendais.

— Je sais. Tu n'aurais pas dû, je suis grand. Et, Camille… fais attention à toi. On ne va pas se bagarrer, mais ce type, il a vraiment un truc. Joue pas avec ça.

Elle hausse les épaules, repense à ce que les autres ont dit d'Octave, sa réputation ombrageuse, ses absences, ses lubies de dingue. Seulement elle s'en moque. Elle en a vu d'autres. Au fond d'elle, la pensée étrange qui l'accompagne depuis son enfance fredonne tout bas : *Je suis invincible. Je suis la fille de Dieu.*

Elle sourit à Malo. *Ça ira.*

— C'est pas ça que je veux que tu me dises.

— Et quoi alors ?

Il s'approche d'elle.

— Je veux que tu me promettes de rester loin de cet épouvantail.

— Berk, lâche-t-elle en reculant, tu pues l'alcool. Je comprends que tu sois calmé, tu as dû boire des litres de je ne sais pas quoi.

Un ricanement. Il lui ébouriffe les cheveux en passant.

— C'était pas ça, la question. Camille, fais gaffe, c'est tout.

*

71

Vingt mètres à vol d'oiseau. Incapable de dormir, Andreas repasse dans sa tête la scène que lui a rapportée Octave. *Le petit fils de pute*, crache-t-il depuis deux heures. Et lui seul sait à qui s'adressent ces mots-là.

*

Vingt mètres à vol d'oiseau. Dans sa chambre, Octave revoit les bras longs et fins de Camille offerte au soleil. Le tee-shirt mouillé par la sueur, les taches de rousseur sur le nez. Derrière elle, un ciel trop beau pour un mois de septembre. Trop chaud pour ne pas éclater en orage, pour que ça ne monte pas. *Plus tard*, implore Octave. *Il faut me laisser la voir encore.*

De toutes ses forces, il repousse les nuages bas aux confins du monde.

JOUR 3

— Allez, dit Lubin. C'est parti.

Camille, le sourire accroché aux oreilles, esquisse un salut militaire. Il peut lui en demander autant qu'il veut : il vient de la nommer débardeur d'un coup de baguette magique. Fini la journée de coupe monotone, à partir d'aujourd'hui elle ramassera les paniers, sortira les caisses des rangs de vigne et conduira les camions au pressoir. Ce changement, elle le doit à son application des premiers jours – et en eût-elle douté, Lubin le lui a rappelé : un travail à *responsabilités*, qu'on ne donne pas à tout le monde. Une petite équipe de direction, en quelque sorte, et la pensée la fait rire. Georges, Lubin et elle. Waouh ; ça c'est un trio. Elle s'en moque cependant, ridiculement fière. Avale le rang de vigne et attrape le squelette de brouette, descend en le poussant, courant presque. Arrivée au niveau de la caisse pleine de raisin elle le retourne, l'enquille, entend le clac des tubes en fer bloqués sous les rebords. D'abord elle soulève avec précaution. Étonnée de trouver la caisse moins lourde qu'elle ne le pensait, cinquante kilos peut-être, ça tire sur les bras mais ça roule. Elle longe le rang sagement, marche jusqu'au camion où elle s'arrête. Lubin la rejoint.

— Tu les mets toutes ici les unes à côté des autres. Faut pas les gerber, hein.

— Ça tombe bien, je pourrais pas !

Il se moque.

— C'est vrai, avec tes bras de poulet.

— Hé, proteste-t-elle.

— Filez, jeunesse !

Il l'éloigne d'un geste et elle remonte un second rang en houspillant les autres.

— C'est pas fini ces rangs-là, mais vous en foutez pas une, vous ?

— Ta gueule ! lui répond Henri. Moi, je connais qu'une façon de passer débardeur en trois jours, et c'est de coucher !

— Dis ! crie Lubin de loin. Je te permets pas !

— Oh, bon Dieu, murmure Henri avec un clin d'œil à Camille, c'est pas pour toi que je disais ça, mon gros.

Elle rit, le dépasse, soulève la deuxième caisse un peu plus haut. Recommence le même trajet. Et encore. La matinée durant elle crapahute entre le camion et les rangs de vignes, aidant à couper lorsque les caisses ne sont pas assez pleines, ramassant une grappe ici et là, poussant la brouette, vidant les paniers quand on l'appelle. Renversant la première caisse que Lubin lui demande de poser avec lui sur le plateau du camion.

— C'est pas grave, dit-il devant son air contrit. Le mouvement de balancier, tu vois. Mais comme t'es un peu ch'tiote, faut que tu forces sur tes bras aussi pour la lever.

À la deuxième tentative elle y arrive, les reins cassés par l'effort.

— Voilà, encourage Lubin. Tu vois. On continue alors.

Trente-deux caisses, empilées sur deux hauteurs. Camille s'adosse au camion en essuyant la sueur de son front sur son tee-shirt. *Ça calme, hein ?* rit Lubin. Du jus s'écoule des grappes écrasées, tombe sur le chemin par les trous du plateau. Lorsque Georges revient du pressoir, ils chargent le deuxième camion, un peu plus petit celui-là.

— Va donner la main à Madeleine, dit Lubin à Camille.

Elle y court, attrapant un panier et un sécateur. Au passage, Malo se moque de sa docilité; vexée, elle se met à marcher, faussement lente, se force à faire de longs pas mous jusqu'à la vieille.

— Enfin! Je suis contente de te voir là. On va crever sous cette chaleur, c'est plus de mon âge.

— Faut arrêter, Madeleine.

— Qu'est-ce que tu crois, que ça me fait plaisir d'être là? Si tu me donnes ta paie, je rentre chez moi tout de suite, qu'est-ce que t'en dis?

Camille hausse les épaules avec un sourire, s'agenouille en ouvrant le sécateur. Elle a l'impression que ça va tout seul, ses mains ont perdu leur engourdissement de trop d'heures de coupe. Dans le rang d'à côté, Pascale souffle : *Tu veux pas m'aider un peu? J'en peux plus.* Alors Camille coupe de gauche et de droite, se tournant et se retournant en chantonnant en silence : *La vieille, la grosse, la vieille, la grosse…* Son corps vibre avec les feuilles qu'elle arrache, les grappes de raisin qui tombent dans les paniers. Le soleil ardent sur les bras et dans la nuque, sur ses cheveux presque blancs, sur les mains tachées de Madeleine. On voit les pépins à travers les grains noirs transpercés de lumière. Derrière elles, le rang est jonché de feuilles qui flétrissent déjà, piétinées par les godillots ou les vieux souliers, déchirées par les caisses traînées au sol.

— Panier, putain! braille Madeleine en se relevant.

Camille éclate de rire. Georges monte le rang sans hâte, sourire en coin.

— Les Portos, reproche la vieille. Arrive un peu, bourrique!

— Faut dire s'il te plaît, Madeleine.

— Et puis quoi? S'il te plaît pour que tu fasses ton travail, feignant?

Il ramasse une grappe de raisin dans le panier, prend quelques grains qu'il jette sur elles. Camille proteste. *J'y suis pour rien, je ne faisais qu'aider.* Un peu plus loin la Grenouille s'en mêle. Dans les rangs, toutes les têtes sont levées et les moqueries pleuvent.

Et puis la voix de Lubin qui râle par-derrière. Qui râle sec, même.

— Au boulot là-dedans, ça y est, oui?

Camille s'étonne toute seule.

— Y a pas le feu, quoi. Ça ne fait pas une minute qu'on discute.

Madeleine rigole, les mains sur les hanches. Un coup de tête vers le haut des vignes.

— C'est le patron. Quand Lubin gueule comme ça, c'est que le patron est là. Faut montrer qui c'est qui commande.

À l'intérieur de Camille ça palpite d'un coup.

*

Dans le chemin au-dessus des vignes, le 4×4 noir passe, terriblement lent, comme s'il devait compter chaque grappe de raisin dans chaque panier et dans chaque caisse. Derrière les vitres teintées on ne devine rien.

Rien des prières incohérentes qu'Octave psalmodie en couvant du regard la silhouette trop blonde de Camille; rien de la sueur sur ses tempes tandis que ses mains s'accrochent au volant. Il n'aurait pas dû venir. Impossible de s'en empêcher pourtant. Elle l'attire comme le chant d'une sirène; comme un tourbillon descendant tout au fond de l'eau, et qui ne rend jamais les corps.

En bas, Malo crache par terre en le suivant des yeux. *Arrête*, dit Camille.

*

L'après-midi Lubin les emmène sur la parcelle de Pavant, la plus éloignée du domaine. Madeleine et la Grenouille ont poussé des cris quand il l'a annoncé — pas aujourd'hui, pas déjà, elles n'en veulent pas de ces rangs si longs que, lorsqu'on les commence, on n'en voit pas le bout.

— Regarde en haut, la bosse, dit la Grenouille à Julie en tendant le doigt. Quand on en sera là, on sera pas à la moitié. On va y passer l'après-midi et toute la matinée de demain. Peut-être même plus. Et tu sais le pire ? C'est du blanc. Il a la même couleur que les feuilles. On y voit que pouic, et Lubin passe derrière et braille parce qu'on en oublie des tas.

— Seigneur, soupire Madeleine. Pourquoi il ne la vend pas cette parcelle, l'autre singe.

La Grenouille renchérit. *Y a des jours où c'est long, la vie.* Lubin envoie Camille tout en haut avec le deuxième camion et des caisses vides.

— Tu les mets tous les trois rangs, en descendant jusqu'à la bosse. Le bas, c'est Georges qui va le faire.

Elle saute dans le Trafic, enquille le chemin de terre en jetant un œil sur le compteur : plus de trois cents mètres de long. Elle ira aider les autres en attendant. Même Malo, qui rechigne tant et plus avec le caractère de chien qu'elle lui connaît bien. Et Charlotte qui pleurait presque hier en se couchant, le dos fracassé malgré les comprimés d'aspirine.

Descendant du camion, elle avance au bord des rangs, monte sur l'un des petits pieux plantés au bout :

la Grenouille avait raison, elle ne voit personne, ne les entend même pas. Un instant, elle s'immobilise, saisie. Les vignes sont à elle, à elle seule. Pas une maison, pas un être humain de tous les côtés que porte son regard. Elle prend une longue inspiration exaltée, rejette en arrière les mèches blanches qui lui tombent dans les yeux. Tend la main pour cueillir une grappe dorée qu'elle mord à pleines dents, le jus sucré dans sa bouche et qui coule par terre, elle rit, avale les grains même s'ils sentent encore le sulfate, Madeleine dit que ça donne la chiasse, elle s'en fout, rien n'entache ce sentiment puissant de joie. Elle s'essuie les doigts à même son jean et repart au camion, tire deux caisses qu'elle descend dans les vignes, vingt mètres d'écart, elle compte les pas à peu près. Ajuste, enjambe, remonte le rang pour aller en chercher d'autres.

La tache sombre sur la gauche, tout contre le camion, lui attire l'œil avant même qu'elle ne l'ait identifiée. Et dans la fraction de seconde, la silhouette blanche juste devant elle. La chemise d'Octave. Il la regarde. La portière du 4 × 4 est ouverte.

Camille sursaute.

— Oh. Je ne t'ai pas entendu arriver.

Il hoche la tête.

*

Pendant un moment ils ne disent rien. Ils contemplent les champs de vignes, côte à côte en haut de la parcelle, regardant dans la même direction et ne se croisant jamais. Un peu d'air s'est levé, qui les soulage de la chaleur. Une main dans la poche, l'autre sur la canne, Octave finit par dire :

— C'est une belle année.

Camille lève les yeux sur lui, se heurte à son regard et tressaille. Le silence, la tension entre eux. Elle cherche désespérément quoi dire, ne trouve pas, renonce finalement. Peu à peu ils arrêtent de regarder devant eux ; ils s'étudient du coin de l'œil, concentrés et fascinés. Octave a mal, mal à la hanche, mal aux jambes, mais il ne bouge pas. Camille finit par sortir une cigarette pour casser cette gêne singulière ; lentement il pose une main sur la sienne, repoussant la flamme du briquet. *Pas maintenant.* Il la lâche très vite, il a l'impression d'avoir les doigts qui fourmillent là où il l'a touchée, comme si quelque chose en lui la reconnaissait, faisait des bonds pour sortir et la voir. La sensation dans son corps est épouvantable et il blêmit. Mais Camille ne le regarde plus. Elle met la cigarette au bord de ses lèvres comme si elle l'avait allumée. Ne demande pas pourquoi, ne reprend pas le briquet, rien. Octave la contemple avec une sorte de stupeur muette, elle s'en rend compte, sourit. *Capacité d'abstraction*, murmure-t-elle en montrant la cigarette avant de la remettre dans le paquet. Il l'épie du coin de l'œil, elle le surveille en retour. Sous le soleil la cicatrice est blanche, bleutée, immense. Camille déglutit.

— Je sais, dit Octave qui semble lire dans ses pensées.

Elle secoue la tête.

— Est-ce que je peux…

Elle s'interrompt, s'approche d'un pas et tend la main. Par réflexe Octave recule, les yeux écarquillés. Il voudrait lui dire : *Qu'est-ce que tu fais*, il voudrait lui échapper, s'enfuir, et l'émotion le paralyse. Il n'y a plus que son regard effaré plongé dans celui de Camille – et puis ses doigts descendant sur sa joue, il sent le contact, et un instant il se dit qu'il va défaillir. Il entend à peine sa propre voix, pas même un murmure, un demi-souffle qui s'échappe de son âme : *Il ne faut pas...*

Camille baisse le bras. Quand Octave à son tour pose une main sur son visage elle ne bouge pas, le cœur battant. Étrange impression. Le sang d'Octave battant au bout de ses doigts, qu'elle sent pulser contre sa joue comme un pouls trop rapide, comme si ces doigts avaient une vie à part, tapotaient *à l'intérieur*. Déconcertés, ils restent comme ça tous les deux, lui la main sur sa joue, forcément cela ne peut pas durer mais il tient encore, les yeux rivés aux siens, il ne la regarde même pas, seulement le vert des iris qui sont là comme des rosaces ou un curieux soleil, il essaie de se calmer. L'affolement au coin de ses lèvres, qui s'étirent dans un rictus. Quand il sent venir les spasmes, il plaque ses deux mains sur le visage de Camille pour s'empêcher de trembler et la tient là, vacillant sans la canne qui a glissé, son regard halluciné à quelques centimètres d'elle, il ne veut pas la lâcher, s'il la lâche il laissera du champ à ce qui les menace, qui rôde autour d'eux et les flaire et les attend, non, il plantera ses ongles dans son visage s'il le faut, Camille restera, juste en face de lui, juste là, il faut qu'elle reste, pour que l'histoire recommence. Avec lui.

Et puis la voix de Lubin, qui porte par-delà la colline.

— Camille !!

Elle bondit, s'arrache. Réplique dans un cri.

— Oui !

Quelques secondes plus tard il apparaît au milieu d'un rang, remontant les lignes.

— Eh bien, petite, tu ne réponds plus quand on t'appelle ? Tu m'as fait peur.

Le soir au pressoir, Camille découvre les espaces interdits, l'accès aux cuves et aux outils, l'entrée des caves. Ce qui la frappe tout de suite, c'est la propreté. Georges est venu vider les camions avec Lubin, et pas un grain de raisin par terre. Tout a été soigneusement balayé puis nettoyé au jet – le sol en béton est encore mouillé.

Ensuite c'est l'odeur. Quelque chose d'entêtant et de fort, un peu écœurant, les sucres du raisin, le début de l'alcoolisation. *Dès que la peau éclate, la fermentation commence*, explique Lubin. Autour des cuves en inox l'air est moite, presque chaud. Respiration gênée.

— On pourrait te laisser enfermée là une heure et on te retrouverait ivre morte juste avec les émanations, sourit Georges.

Lubin sort une bouteille d'une armoire, remplit quatre petits verres posés sur un plateau en bois que cale un vieux bidon. *C'est quoi ?* demande Camille. *Tu sais je ne bois pas.*

— Ratafia. Et tu es obligée de goûter.

— Ratafia ?

— Eau-de-vie de moût de raisin.

— Ouh. Vraiment je ne crois pas…

Mais Lubin tourne la tête, attrape un verre qu'il lève devant lui. *Ah. On va pouvoir trinquer.* Octave vient d'apparaître au seuil du portail, les rejoint en boitant bas. Il rassure Lubin d'un coup d'œil, qui a froncé les sourcils en remarquant sa démarche douloureuse. S'adossant au mur pour soulager sa jambe abîmée, il prend le verre que lui tend Georges, regarde Camille.

— Santé ?

— Alors, sourit Lubin. Ça se distille, cette petite chose, ça ne se donne qu'aux meilleurs. Et puis tu ne refuserais pas ça au patron.

Camille soupire et trinque avec eux ; goûte du bout des lèvres. La chaleur sur son front et dans sa gorge, au fond de ses yeux. En face d'elle Octave a ce demi-sourire fascinant, tourné du bon côté, cicatrice oubliée. Lubin éclate de son gros rire.

— Après une journée de travail, ça secoue, tu vas voir. Pour traverser la cour tu vas pas marcher droit, mais t'as pas loin à aller.

Ils discutent un moment de la journée, lapant leur verre à petites gorgées. Camille essaie d'écouter, l'attention flottante, distraite par le regard d'Octave. Ce regard avide et dérangeant qu'elle cherche en même temps qu'il l'intimide, et qui la coince là entre le mur et Lubin, et qui la dévore. Il faut que Georges et Lubin soient méchamment absorbés par leur conversation pour ne s'apercevoir de rien, et parce qu'ils s'en moquent aussi, seul le raisin compte, le raisin à coups de quatre tonnes déversées dans la maie, le jus de la cuvée et le jus de la taille, le taux de sucre cette année. Non, ils ne voient rien de ce qui se joue à un mètre d'eux, ne sentent rien de la tension pourtant palpable, électrique, qui s'est établie entre Camille et Octave, parce que c'est impossible aussi, elle est si jolie, ça ne les effleure même pas. Et quand ils repartent vers le pressoir ils les oublient tout simplement. Pas même un mot pour dire : *On y retourne, faut surveiller.* Pas un regard envers ces deux êtres qui n'existent plus pour eux et qui restent seuls face à face, silencieux et figés.

*

— Ça te dit de visiter les caves ?

La voix d'Octave a résonné sous l'arche de pierres.

— On doit aller dîner, murmure-t-elle. Ils vont m'attendre, sinon.

Il la regarde d'un air presque amusé.

— Comme tu voudras.

Camille se mord les lèvres. Elle devine, au fond de la pièce, l'entrée qui ouvre le dédale et les salles creusées à même la roche dont leur a parlé Lubin. Quarante-deux mille bouteilles classées par années, par millésimes, par cuvées. Remuées à la main encore, un tour à gauche, un tour à droite, avant de les dégorger, rangées serré sans jamais se toucher. La fraîcheur sous la terre, le labyrinthe des couloirs. La lourde porte qu'Octave pourrait refermer sur elle aussi. Les caves, elle préférerait y aller avec les autres, pour se rassurer. Mais l'idée d'être avec Octave ; peut-être qu'il la touchera du bout des doigts. Ou juste épaule contre épaule. Tout lui irait. Tout ferait bondir ce cœur indiscipliné qui s'élance à l'intérieur.

— Cinq minutes ? hasarde-t-elle d'une toute petite voix.

— Dix et je t'emmène.

Alors elle acquiesce, envoûtée par l'attraction qu'exercent les monstres et qui fait qu'on ne peut pas s'empêcher de les regarder, ni de croire qu'ils pourraient se transformer en princes et être sauvés. Dans ses pensées qui vont trop vite, elle voit des paysans armés de fourches montant à l'assaut de la bâtisse et de ses seigneurs insensés. Octave est là, bête sombre et barbare, isolé dans la maison en ruine, les lèvres retroussées sur les dents comme un fauve. Le vent apporte à ses narines animales l'odeur de la peur des gens venant le tuer. Les torches agitées devant lui le font gronder. Camille imagine la lutte, le sang et les déchirures. Forcément Octave va mourir, ils sont trop nombreux. Ce qui lui manque c'est une belle, et l'histoire se finirait bien, ça a l'air si simple dit comme ça. Elle secoue la tête. Il la regarde et elle rit, elle dit : *Oui, on y va.* Pas pour les caves : pour rester avec lui. Et pourtant elle aussi sent cette étrange chose en lui, et les paroles de Malo lui reviennent de plein fouet, suffisamment pour lui donner une petite angoisse au ventre mais pas assez pour la faire reculer, juste l'adrénaline, et la sensation grisante que donne l'excitation d'être seule avec Octave.

Il la précède, lourd sur la canne et le pas lent, et elle observe cette silhouette bancale, pense à cet après-midi en haut des rangs de vigne, ses mains sur elle – un frisson. *Enlève-toi ça de la tête.* Dans les caves elle le suit et ils s'enfoncent. Ce pourrait être au centre de la Terre, elle le suivrait quand même. Il la laisse venir à sa hauteur, lui explique une ou deux choses qu'elle n'entend pas, inaccessible aux mots et à la raison, emprisonnée dans ses idées délirantes – *il a le double de mon âge, il est dingue, défiguré et mauvais, et je ne pense qu'à lui, je délire ou quoi ?* Elle court derrière lui.

Est-ce qu'il l'a entendue ? D'un coup Octave s'immobilise et Camille le bouscule, s'excuse. Le long frémissement au moment où ils se touchent, peut-être par erreur, mais cela dure, et le regard d'Octave, dansant et inquiet. Quelque chose se noue entre eux, de l'ordre du trouble et du désir, quelque chose d'incontrôlable qui leur fait faire un geste, ce ne peut pas être le hasard, si proches l'un de l'autre. Seulement Octave recule d'un coup, secoue la tête et fait volte-face. Il s'enfuit, sans un mot et sans une explication, sous le regard éberlué de Camille. Humilié par cette claudication qu'il sait effrayante, parce qu'il voudrait courir et qu'il n'en résulte qu'un vain et monstrueux sautillement. La canne lui broie le poignet sous l'effort, la présence de Camille lui donne envie de pleurer. Il la quitte à en crever. Ne plus la voir. Ne plus se tenir au bord de la tentation chaque fois, avec Andreas qui lit dans ses pensées c'est trop facile, et Camille est à lui, cette fois il ne veut pas la partager, non. Il remonte les couloirs, suant de colère et d'angoisse. Ne pas se retourner.

Et puis elle l'appelle. *Octave.*

Sa voix qui dit son nom. Il pile net. Plus d'air dans la poitrine, plus de force, plus rien. L'espace d'un instant, il lui semble que le monde se limite à elle, Camille, que les vignes disparaissent, et Lubin et Georges et les autres, que l'énergie destructrice d'Andreas pesant sur lui s'estompe et cesse de lui vriller les tripes. Alors il se retourne.

Octave.

Cela sonne si doux si tendre, il avait oublié. Mais c'est là maintenant. Pour lui. Il penche la tête de côté, attentif et ébranlé, et Camille discerne cette curieuse étincelle animale, hésite. Octave perçoit son malaise d'un coup, jusque dans l'air entre eux, tendu et saturé.

Ne lui laisse pas le temps. D'une main il frôle ce visage en sentant le feu se jeter dans ses veines, les yeux dans les siens, plus près encore, front contre front. La caresse de ses cheveux, impensable, irréelle. À son tour il dit tout bas :

— Camille.

Il l'embrasse très doucement, à peine, il l'effleure, qu'importe, le monde explose et Camille ne bouge pas, elle répond juste, d'un seul mot, *Oui*, et avec ce mot ses lèvres s'ouvrent à lui, il chancelle, l'émotion, une sorte de bonheur exultant, si fragile. Terriblement fragile. Dans la fraction de seconde qui suit il se sent arraché, tiré en arrière, projeté contre le mur de la cave. Sa jambe cogne la pierre, il grimace, une plainte lui échappe. Malo est sur lui.

— Espèce d'enfoiré !! hurle-t-il.

Octave lutte quelques secondes, agrippe le visage et frappe de toutes ses forces, se dégage tant bien que mal. Il se relève en boitant. Il s'est fait mal à la main et il a le nez qui saigne. Les deux hommes se toisent sans un mot. Henri et Lubin arrivent en courant, précédant les autres qui venaient chercher Camille pour dîner.

— Du calme là-dedans, crie Lubin, du calme !

Henri prend Malo à bras-le-corps et le ceinture, évite de peu un méchant coup de tête ; Lubin s'interpose lui aussi, protégeant Octave de toute sa masse, prêt à coller Malo au mur s'il échappait à Henri. Celui-ci dit à voix basse : *C'est bon maintenant. Allez.*

— Je t'ai dit de rester loin de ce type, beugle Malo en essayant de se libérer de l'étreinte d'Henri – peine perdue. Lâche-moi, toi, je vais pas le bouffer ce connard !

Camille s'énerve à son tour.

— C'est bon, je suis majeure !

— Si t'es pas capable de voir que ce mec est dingue, t'es rien du tout ! Tu crois que j'ai que ça à foutre de faire attention à toi ?

Oh non, lâche Charlotte les larmes aux yeux, *arrêtez*. Henri relâche lentement son emprise, garde une main sur le bras de Malo, serrée fort. *Hé*, dit-il. Malo crache une insulte.

— Allez, répète Henri.

— Il y a de l'orage dans l'air, dit Georges très vite, ça va sûrement claquer. Peut-être même cette nuit. On est tous nerveux, hein.

— Cette nuit n'importe quoi, gronde Lubin, t'y connais rien.

Dehors quelque part, un chien aboie. Henri lâche Malo complètement ; Camille s'approche et pose une main sur lui.

— Malo, murmure-t-elle.

Il la repousse brusquement.

— J'me casse ! T'entends ? Salut !!

Il se retourne, bouscule Lubin et sort du bâtiment. Ils le voient suivre l'allée et descendre vers le bourg, laissant la grande maison derrière lui. Camille esquisse un geste pour le suivre, se ravise, sonnée. *Ne t'inquiète pas*, dit Henri en lui tapotant l'épaule. *Ça va passer*. Livide de son côté, Octave rouvre lentement les poings, les jointures blanches, le souffle encore court. Sûr, s'il avait eu une arme il le flinguait, ce petit salopard de Malo. En face de lui, au-delà de la grande porte, le paysage est flou.

Des tremblements de rage dans la gorge. Dans sa tête, ça décolle d'un coup. Un coup de colère ou un coup de vent ; quelque chose qui soulève la voiture du nez, et l'envoie. De loin on dirait un avion, ou un gros oiseau noir. Elle tourne sur elle-même, rebondit dans une glissade sans fin, au ralenti, long, long. À l'intérieur, Octave est seul ; il tient dans la main le commodo cassé des essuie-glaces. Le pare-brise est rouge de sang et rien ne peut le nettoyer.

Il étouffe un cri. Met une main sur sa bouche, recule de plusieurs pas, trop vite, bascule en arrière. Ne tombe pas : le bras de Lubin a saisi le sien pour le rattraper, un contact rapide, dur, impérieux. Il sent qu'on l'assied sur une caisse en bois. *Dégagez !* crie Lubin. *La paix ! La paix !*

Ça s'éparpille comme un troupeau désordonné, en courant presque, fouetté par le contremaître furibard. En quelques instants, la cave redevient vide et silencieuse. Du seuil, Lubin les regarde s'éloigner.

— Je suis désolé, murmure Octave depuis l'intérieur.

— Y a pas de mal. Est-ce que ça va ?

Octave ne répond pas. Recroquevillé sur lui-même, il lui semble entendre les cris d'ici.

— Mais à quoi tu joues??

La voix fait exploser la pièce comme si des dizaines de haut-parleurs vociféraient ensemble, et pourtant Andreas n'a rien avec lui, que cette poitrine et ce souffle immenses qui font trembler les vitres et qui repoussent Octave à l'autre bout de la chambre. En bas, Lubin jette un œil vers la fenêtre entrouverte, tique en entendant l'éclat des voix. Fait demi-tour et regagne le pressoir pour vérifier la serre. Il a horreur de ces moments-là. Il hait Andreas.

— Je t'ai dit de ne pas y toucher, je te l'ai *ordonné*, Octave!

Une plainte lui répond, un bredouillement d'excuses qui émane de derrière les mains plaquées sur le visage, quelques mots étouffés.

— Quoi? hurle Andreas. Quoi, Octave? Je ne t'entends pas, mon vieux! Tu veux sans doute m'expliquer ce que tu as en tête avec cette fille?

Octave s'affaisse lentement dans le fauteuil, fuyant le regard d'Andreas, comme si le fait de scruter le sol pouvait le sauver, lui boucher les oreilles, arrêter l'humiliation. Il se sent impuissant et battu, implorant le pardon de cet être écumant de rage qui ne le regarde déjà plus.

— Je suis désolé…

Au fond de lui ça bout pourtant, il supporte mal les injures et le mépris dont Andreas l'accable, pour la première fois depuis dix ans, depuis l'accident, sa présence est douloureuse, il le sent peser sur lui de tout son poids, en même temps qu'il sait que jamais il ne se rebellera, parce que leur histoire est indissociable, parce que c'est ainsi. Andreas se penche sur lui, détachant les mots dans un grondement.

— Cette fille n'est pas à toi. Tu m'entends ?

D'abord Octave ne répond pas ; ça bloque à l'intérieur et les sons ne viennent pas, effarés qu'Andreas leur demande l'impossible, butés au fond de sa gorge. Conscients pourtant qu'il faudra acquiescer pour pouvoir quitter cette pièce maudite ; alors Octave se fait violence, murmure enfin, un tout petit mot qui lui arrache les muqueuses – *Oui*.

— Tu l'oublies. Tu ne la regardes même plus.

— Oui…

Plus bas encore que la première fois. Andreas le tire brutalement par le bras.

— Tu mens. Tu mens !!

*

Seul dans la chambre aux parfums aigres, Andreas tourne autour de la voiture qui inlassablement roule sur elle-même, se repasse la scène dix fois, curieux et haletant, comme un chien approchant d'un réverbère, humant l'air et les odeurs de sang et d'urine. Le bruit de la ferraille, des vitres cassées et des freins écrasés, et puis les pulsations de la vie de Laure qui s'écoule en longs jets. L'accident l'assaille sans prévenir. Des visions qu'il connaît par cœur.

92

Il balaie la table d'un geste brusque, renversant le vase avec ces fleurs qui doivent avoir deux ans et qu'il n'a pas voulu jeter. Le verre va exploser contre le mur. Andreas lance une injure, ramasse les morceaux et se coupe net sur un fragment de verre. Il secoue la main par réflexe. Un cri de rage lui échappe. Le sang, encore ! Qui dessine sur la table de fines traînées carmin, lui rappelle certaines peintures d'Hartung. Il va passer sa main sous l'eau froide du lavabo. Le rouge qui s'écoule et se mélange à l'eau du robinet est clair, la coupure ne s'arrête pas de saigner, la tête lui tourne un peu. Il marmonne toujours. Ce serait le plus fort. Qu'il s'évanouisse comme une gonzesse, avec l'habitude qu'il a de ces choses-là.

La main serrée dans un torchon, il déambule à travers la pièce pendant des heures. Il sait que le bruit de ses pas allant et venant des centaines de fois sur le vieux parquet rend Octave fou de colère. Il appuie bien sur les talons, pour que ça claque. Compte machinalement les allers-retours, quarante, quarante et un, deux cent sept… Et rien ne se passe. Octave ne revient pas. Ni laisser éclater sa rage, ni geindre en s'excusant.

Rien.

À un moment, Andreas hésite.

*

Cinq heures vingt-quatre. Sur sa longueur, la façade de la maison compte trois fenêtres et quatre baies vitrées. Moitié moins sur les côtés. Octave remonte le col de son pull et souffle un nuage de fumée en frissonnant, regarde sa montre : il a mis exactement une minute et sept secondes pour faire le tour de la maison.

Il est parti du bas de l'escalier et a pris par la droite, comme toujours. Ses jambes lui faisaient trop mal, il fallait qu'il marche.

Octave a tourné en rond, il a bouclé la boucle. C'est court, une minute sept. Un tout petit trajet, usé tellement il lui arrive de le parcourir, sans herbe, sans gravier, rien que la terre dénudée par le frottement de ses chaussures. Il en est de même des chemins que prennent les vaches dans les prés. Pour les parcours essentiels, qui vont d'un bout de la pâture à l'autre, de l'abreuvoir à la barrière, elles empruntent toujours le même trajet, exactement, si bien que les prés sont entrecoupés de sentiers piétinés où elles ont l'habitude de se suivre en file indienne. *Je suis une sorte de vache*, pense Octave, puis il se reprend en redressant le buste. *Non, un bœuf. Un taureau.* Ses épaules s'affaissent aussitôt, son léger rire désabusé monte dans la nuit. *Allez, une vache.* Une vache avec un corps mou et des faiblesses qu'il déteste, il suffit qu'il se regarde certains matins quand il sait qu'il n'arrivera pas à se lever, parce que ça n'en vaut pas la peine, parce que la journée passera plus vite s'il dort, parce qu'il faut bien finir pourtant par se pousser au cul, prendre un café et attendre le soir. Parfois il se contente de tomber sur le sol, adossé au sommier pour ne pas s'affaler entièrement. Il voit son corps, cette masse inerte qu'il ne reconnaît pas, dont il refuse qu'elle lui appartienne, qu'il renie de toutes ses forces. Avec une distance gênante il pense que, s'il le pouvait, il choisirait de ne pas rencontrer cet homme qui est assis là comme une marionnette dont on aurait coupé les fils. Il se regarde comme s'il était un autre et il ne s'aime pas, fort et lâche à la fois, brisé tout au fond de lui, comme

Andreas et peut-être davantage encore, pas dingue mais abîmé, oui, tout cassé, tout fichu.

Octave allume une cigarette, s'arrête en bas du perron et s'assied sur les marches humides. Devant lui la campagne est taiseuse, tapissée d'attente. Les herbes, les arbres font des réserves de rosée pour la journée et les hortensias dont les feuilles s'étaient flétries de sécheresse la veille ont repris de la vigueur pendant la nuit. La terre dans le talus est grise et pauvre, un jour il faudra faire quelque chose, arroser ne suffit plus.

Et puis le bruit devant lui. Octave se fige. La porte de l'aile d'en face s'est ouverte.

Il le reconnaît tout de suite. Il tire sur sa cigarette, jette le mégot dans les graviers en se levant. Là-bas, Malo l'a vu également. Insomnie. Malgré cette séance mémorable qui l'a tenu la moitié de la nuit dehors avec Émilie, impossible de s'endormir. Un sourire méchant lui vient en observant Octave – lui ne risque pas d'être consolé par une jolie fille, la vie est dégueulasse mais ça lui fait un bien terrible de se le répéter à cet instant. Une haine féroce lui ravage les tripes, la même qui l'empêche de dormir depuis qu'il est rentré. Dernière tentative, il s'est dit qu'un tour dehors lui ferait du bien ; il n'avait pas imaginé que l'autre serait là. Cela lui gâche son plaisir.

En traversant la terrasse, il crache en direction d'Octave. Pas pu s'empêcher. La grandeur d'âme, l'histoire du plus intelligent qui s'arrête en premier ? Que dalle. Ça n'a jamais été pour lui. Ce foutu caractère, il le tient de son père.

À quelques mètres, il entend le grondement.

— Fils de pute !

Mais Malo ne relève pas, continuant son chemin en exhibant un doigt et en criant : *Va te faire foutre !*

Dans la grisaille de la nuit, sa voix résonne. Octave suit du regard la silhouette qui s'éloigne vers le bois. Malo rentre sous la voûte obscure des arbres, là où le chemin se rétrécit jusqu'à disparaître loin derrière la forêt de chênes. Octave lève le nez comme s'il sentait son odeur, comme s'il évaluait la distance.

Crève, dit une pensée qui lui échappe.

Putain de forêt de mes deux. Je t'en foutrai de la belle campagne apaisante! Malo crie tout seul pour faire sortir la colère. La faute à ses lectures, à ses idées toutes faites. Il pensait qu'un tour dans les bois lui ferait du bien. Il y a cette conviction dont il sait maintenant qu'elle est stupide, d'une nature immense et sereine dans laquelle il aurait marché longtemps, et dont il serait ressorti changé, purifié, presque heureux. D'un coup de baguette magique! En entrant dans la forêt il a attendu que ça marche, comptant les secondes. L'espace et le temps suspendus, la présence imperturbable des grands arbres, une certaine tranquillité contagieuse. Des clous tout ça. Les mains sur les hanches, de plus en plus furieux, il observe autour de lui le bois glauque de l'aube et sa lumière triste à crever. Sous l'arche noire des chênes et des charmes, il peine à distinguer le sentier, l'a perdu plusieurs fois. *Quel pays à la con!* braille-t-il en se prenant les pieds dans une ronce.

Faire demi-tour. Il ne voit que ça. Mais quand il se retourne le chemin s'est évanoui, comme chassé par son regard ulcéré. Malo titube et fait quelques pas de côté pour se rétablir, heurte un arbre qu'il enserre de ses bras, se griffant sur l'écorce rugueuse. La tête lui tourne, il voudrait vomir et que ça passe – la nausée le tient et il transpire comme un bœuf, mais même penché en avant et le souffle coupé de spasmes, rien ne vient. Un coup de poing dans l'arbre ; il se fait mal, respire lentement pour épargner son estomac douloureux. *Pauvre con, tu aurais dû boire encore plus.* La nuit avec Émilie lui semble inutile et lointaine.

Quelque part un très léger sifflement émerge. Malo se redresse avec peine, tend l'oreille. Un oiseau de nuit. Des craquements, des bruissements. Il n'aurait pas dû s'arrêter, à présent il guette ces bruits autour de lui. Imagine n'importe quoi. La forêt regorge de sons qu'il ne connaît pas, étranges et hostiles. Un sifflement ? Il secoue la tête, incrédule, vaguement inquiet cependant. Et puis quoi, peut-être ce début de migraine qui lui tape sur le front. Non ce n'était pas un oiseau. Ça ne ressemblait pas – pour ce qu'il en sait. Une illusion alors. Un jeu de son cerveau embrumé. Voilà, oui. Oublie.

Sauf que cela recommence.

Malo pousse un cri, un faux, un pour écarter la peur naissante, pour faire du bruit et que ce silence imparfait se brise. Il scrute l'obscurité sans rien discerner, ne sait même pas ce qu'il cherche ; puis le sifflement s'atténue et il n'est même plus certain que cela vienne des bois. Il finit par se boucher les oreilles, excédé, et le bruit disparaît. Quand il enlève ses mains cela reprend aussitôt. Malo recommence plusieurs fois, s'immobilise, interdit. Bizarre. Écoute. *Écoute.* Il y a quelque chose alors.

Il essuie son front trempé, suspend sa respiration : rien. Des bruits de forêt et d'animaux. Le froissement des arbres, des feuilles retournées, le hululement d'une chouette. Il s'oblige à penser : *Non. Non, non. Je déconne. Tout va bien. Il n'y a rien.* Au moment où le bruit revient en s'élevant entre les arbres, tendu de concentration, Malo gémit de surprise.

Cette fois, c'est sûr. Au fond des bois, à une distance qu'il est incapable d'évaluer, quelqu'un siffle. Des notes lourdes, traînantes, détachées les unes des autres, comme si on les déchiffrait avec difficulté sur une partition. Malo passe une main moite sur son visage, tire sur une manche de son tee-shirt pour éponger la sueur. Qu'est-ce que c'est que ce truc, bon Dieu. Il met un moment à reconnaître. Car tout agglutiné il y a une mélodie dans ces notes lugubres. Oui, c'est ça. Il jure tout bas, écoute encore pour être sûr. Les yeux agrandis par l'angoisse, il met les paroles sur l'air.

Pro-me-nons-nous dans les bois,
Pen-dant que le loup n'y est pas...

C'est idiot, cette chanson d'enfants qui flotte au loin, déplacée à cette heure et à cet endroit, ça devrait le faire rire ou le mettre en colère. Mais Malo sent seulement les picotements dans son dos. La peur, qui lui colle à la peau, ne le lâche pas. Il n'ose plus avancer, voudrait s'enfuir, ça fait un drôle de mélange dans sa tête, ce qui est sûr c'est que ça ne va pas fort.

— Hé? Ohé?

Aucune réponse – il n'en espérait pas. Aucun bruit non plus, et pourtant la certitude que quelque chose traîne pas loin de lui s'est ancrée d'un coup. Malo se remet en marche, s'arrête, oreille tendue. Sursaute au cri aigu d'un rapace. Repart, stoppe brutalement au bout de quelques mètres : cette fois il a pris de court la chose qui le suit. Il entend une foulée dans les feuilles, qui s'immobilise à son tour, trop tard, il est sûr maintenant.

— Et merde!

Malo a crié pour conjurer la peur même si ça ne sert à rien, accélère, court presque dans les bois. Où il va, il ne sait pas. Il s'échappe. Aller de l'avant, plus vite, semer l'être derrière, bien sûr qu'il n'y a pas d'ours ou de loup par ici, et puis ça ne siffle pas ces bêtes-là – et s'il inventait tout ça ? Si ce n'était que le fruit de son cerveau abruti par l'alcool ? Il pile à nouveau.

— Bon Dieu, il y a quelqu'un ? Ça ne me fait pas rire ! Arrêtez vos conneries !

Une note dans l'air, une seule, qui s'éteint lentement. Mais pas de doute. Un sifflement humain en parallèle du chemin, perdu dans les bois sur sa gauche et qui progresse en même temps que lui. Une toute petite note, moqueuse. Malo sent la décharge d'adrénaline, détale dans une plainte étouffée. Il écarte les branches basses qui lui cinglent le visage, court en levant les jambes pour ne pas buter contre un obstacle invisible. Certain d'entendre une foulée sur le côté droit à présent, il part en biais ; l'idée qu'Octave aurait pu lui jouer un sale tour l'abandonne, avec sa patte folle impossible de suivre le rythme qu'il impose maintenant – nom de nom, il aurait mille fois préféré que ce soit cette ordure pourtant. Sous l'effet de la peur, son souffle est saccadé, douloureux. Ça n'en finit pas cette course démente, il ne sait même pas pourquoi il s'enfuit, juste l'instinct, quelque chose lui veut du mal et il court – réflexe, réflexe.

Le sentier descend, l'emmène, plonge encore. D'un coup un étang apparaît.

Malo enregistre sa présence et ne ralentit pas, bondit en se fondant sous les haies d'arbres. Sous ses pieds le sol s'alourdit et le gêne. L'étang est bordé d'arbustes en pagaille. À un moment il tente : il se jette dans l'un d'eux, se déchire la peau, se recroqueville. Si seulement il arrêtait de trembler il serait invisible, mais son cœur paniqué l'agite comme un enfant qu'on secouerait. Replié sur lui-même, tête baissée, les yeux fermés pour échapper à un autre regard. Il met plusieurs minutes à oser relever le nez, à scruter le tour de cet étang désert. Une lueur rouge sur l'eau, incertaine, vite masquée par un nuage. L'arrivée du jour le rassure, lui redonne corps, comme si l'obscurité allait emporter avec elle ces instants de cauchemar. Pour la première fois depuis son entrée dans la forêt, il arrive à calmer sa respiration. Se dit à nouveau qu'il a tout imaginé, la fatigue, la colère et l'alcool, l'herbe aussi, trop de choses, il s'en veut.

Au bout de l'étang un bruit d'eau le fait sursauter. Le bruit d'un poisson attrapant un insecte matinal et replongeant à l'abri, compact, qui résonne dans les feuilles des arbres. Des cercles concentriques se dessinent à la surface, Malo ne les quitte pas des yeux jusqu'à ce qu'ils arrivent à la berge, trop heureux de concentrer son esprit affolé sur autre chose.

Trop facile.

L'idée le fait tressaillir d'un coup, un poisson à ce moment-là, c'est trop bête, un poisson ou une pierre pourquoi pas – il n'entend pas l'infime mouvement derrière lui. Quand il le perçoit c'est trop tard.

Une douleur aiguë à la nuque. L'espace d'un instant, il se dit qu'il a mal.

Et après, le grand noir. Le grand trou.

*

Est-ce à lui ce hurlement, cette plainte lugubre épouvantée par le manque d'air – Malo reprend conscience dans un cri effrayant, se débat si fort qu'il doit surprendre la chose près de lui. Il émerge dans des éclaboussures d'eau vaseuse, aspire l'air comme un fou. Aucune pensée n'a le temps de se former, juste une terreur instinctive, ses jambes glacées, serrées dans une position étrange, l'eau partout autour de lui. La seconde d'après on lui écrase la tête et il glisse sous la surface, les poumons saturés. Veut se redresser et comprend. La main le maintient sous l'eau, prisonnier, déjà presque asphyxié. L'étang lui remplit les yeux, le nez, la gorge, freine ses mouvements – il faut qu'il attrape le bras qui le noie, vite, le temps presse, il essaie de crever la surface, ses jambes ne répondent pas. Son cerveau le lâche par lambeaux. L'affaire d'une minute tout au plus.

Une tentative désespérée. Malo ouvre la bouche pour aspirer des particules d'air, si peu suffiraient, pour reprendre des forces, pour reprendre espoir. *Ouvrir la bouche ?*

L'eau s'engouffre dans sa gorge et dans ses sinus, l'étouffant en quelques secondes. Il sent son corps tiré en arrière, traîné dans l'eau comme si on l'emmenait. Peut-être la similitude avec les crocodiles noyant leur proie et les coinçant quelque part sous des rochers l'effleure-t-elle encore. Et puis plus rien.

*

— *Loup y es-tu ? Que fais-tu ? Entends-tu… ?*
— *Oui ! J'arrive !*

JOUR 4

Dans le mutisme de l'aube, le bruit de la canne résonne fort sur le sol de la grande maison. Octave entre dans la cuisine à pas inégaux. Il allume la machine pour faire réchauffer le café de la veille ; à cette heure-là il n'en demande pas plus. Il s'effondre sur une chaise, cherchant dans le ciel, derrière la vitre, les prémices du jour.

D'un geste automatique, il attrape le crayon à côté de la cafetière. Fait des ronds avec, jouant entre ses doigts. Un crayon Conté vert, sur lequel les lettres ont disparu à force d'avoir été trituré chaque fois que le café chauffe. Il ne sait même plus depuis combien d'années ce crayon est là. Il n'a jamais servi qu'à lui rouler entre les doigts le temps que le café passe. La fatigue le reprend, déjà. Une nuit trop courte, comme souvent. La tête lourde, les paupières qui tombent. Et puis il entend le bruit dans le couloir. Se redresse d'un coup. *Non.* Les oreilles tendues. Il ne s'est pas trompé. *Non, non.*

Lentement Andreas pousse la porte et vient s'asseoir à côté de lui sans un mot. Octave reste pétrifié, les mains immobiles sur le crayon, ne sachant que dire. Il perçoit seulement les émotions contradictoires dans sa tête, qui lui font venir une migraine fulgurante. Le mot qui crie et bondit à l'intérieur : *Alarme, alarme...* Il fixe un point sur le mur droit devant lui. Quelque chose a changé d'un coup, quelque chose de lourd, d'immense. Dangereux. Les territoires se mélangent à présent et il sent qu'il faudra composer avec, qu'Andreas s'immisce pour la première fois au rez-de-chaussée, qu'il y reviendra. Malgré lui sa poitrine se resserre : ici, c'est devenu chez lui. Il n'est pas prêt à partager son domaine. Il faut qu'Andreas remonte, qu'il remette les repères en place. Avec précaution Octave coule un regard en biais vers lui, sans bouger un muscle, un nerf de son visage.

Andreas frotte les mains sur son pantalon. Un geste mécanique qu'il fait sans réfléchir, une sorte de manie ; le haut de son corps se balance imperceptiblement d'avant en arrière.

— Ça fait longtemps, murmure Octave.

Aucun changement d'attitude. La voix lui répond sur le même ton.

— Juste après l'accident. J'avais presque oublié cette maison.

Octave hoche la tête.

— Je t'ai réveillé ?

— Non. Je ne dormais pas.

— Je suis désolé.

— Je ne dormais pas, je t'ai dit.

Octave étend sa jambe sous la table pour la soulager. Il chuchote :

— Maintenant que le mal est fait, tu veux un café ?

— Mmm.

Ils restent là tous les deux un moment devant leur tasse, épuisés et moroses. Andreas allume une cigarette, fait glisser le paquet sur la table.

— Merci, dit Octave.

Le clac du briquet. Sous l'ampoule jaune de la cuisine, la fumée monte en volutes. Andreas se lève pour prendre du sucre, remue son café, fait une grimace.

— Il est d'hier.

— T'as qu'à en faire si tu veux.

Une mouche se pose sur la tache de café qu'Octave a faite en se servant. C'est le seul bruit dans la pièce, avec le ronronnement du frigidaire. Le silence s'étend comme une chape de plomb. À mesure qu'il se sent asphyxié par la tension entre eux, Octave devine l'ampleur que gagne Andreas et qui le grignote comme s'il lui arrachait de petits morceaux de chair du bout des dents. Il demande, toujours à voix basse :

— Pourquoi tu es là ?

Andreas a un petit claquement de langue irrité et Octave acquiesce, se rétracte et se tait. Il caresse du bout du doigt la toile cirée abîmée. Cela fait un an qu'il doit la changer ; aux dernières vendanges, il en parlait déjà. De son ongle, il gratte la brûlure de cigarette qui a fait un petit trou noir. Il soupire, fort, pour que ça s'entende.

*

L'armoire vitrée en face d'eux est restée entrouverte. Avec les premières lueurs du jour, un rayon de soleil vient s'y cogner. Octave met une main devant son visage, à cause de l'éblouissement. Il se penche, tend le bras et repousse la porte qui se ferme en claquant.

— Attention au carreau, dit Andreas.

Octave lève les yeux, rencontre le reflet dans la vitre qui renvoie sans aménité l'image de son visage déchiré. La cicatrice qui court sur tout un côté, traversant son œil droit. Bien sûr qu'elle n'a pas disparu par magie. Il baisse la tête en serrant le poing. Le tremblement le reprend, l'obligeant à plaquer ses mains sur ses genoux, cachées sous la table. Il finit par se lever, marche en boitant jusqu'à l'évier. Appuyé sur le grès, il avale un verre d'eau et deux comprimés d'ibuprofène. Dehors la lumière dégrise. Andreas va pour remonter dans l'aile sud ; le jour le gêne, il ne le supporte plus. Il croise le regard d'Octave. Toujours la même question au bord de ses lèvres, et cette fois Andreas sourit.

— Je te surveille, mon vieux.

*

Réveil de ciel lourd. Le temps a viré pendant la nuit. Pas de fraîcheur ce matin, comme si l'air était resté immobile depuis la veille, pas de rosée sur l'herbe, il fait déjà trop chaud, il n'est pas huit heures. Sur la terrasse ils ont enlevé les pulls en s'essuyant déjà le front, ça perle, ça suinte, et Lubin a mis les cirés dans le camion, par précaution. Ça devrait tenir ; mais sait-on jamais. Ce sera bien assez d'avoir les pieds trempés. Camille et Henri regardent l'horizon flamboyant, déchiré de longs nuages effilochés.

— Il y a un vieux qui m'a dit un jour que, quand le ciel était rouge, ça annonçait de la flotte le lendemain, dit Henri. C'est vrai ?

Lubin rigole.

— Peut-être. Moi, c'est Météo France qui dit à mon petit doigt le temps qu'il va faire. Aujourd'hui, tous les gars sont accrochés à leur téléphone pour savoir s'il va pleuvoir, ils ne regardent plus le ciel, hein.

— Oh.

— Ouais, ça déçoit, mais c'est beaucoup plus fiable. Bref, on devrait rester au sec encore au moins vingt-quatre heures.

— S'il se met à pleuvoir, on arrête de bosser ?

— Non. On n'a pas le niveau de champagne qui justifie ce genre de délicatesse. On met les cirés et on coupe.

Camille lève le nez vers les nuages malgré tout. Elle entend la conversation, n'enregistre pas, loin d'eux, loin de la météo et loin des vignes. L'angoisse vrillée au ventre. Quand elle est certaine que Malo n'arrivera pas, elle prend son téléphone, s'écarte.

— Malo, c'est moi, tu n'es pas rentré, je m'inquiète, tu me rappelles ? Ou tu me laisses un texto si tu ne veux pas me parler. On part dans cinq minutes, tu es où ?

Elle a déjà appelé trois fois ce matin, depuis qu'elle s'est réveillée. Depuis que, par la porte ouverte du dortoir des garçons, elle a compris que Malo n'était pas là. Après six sonneries, le répondeur se déclenche. À nouveau Henri lui dit de ne pas s'alarmer : il a un foutu caractère, Malo, il ne répondra pas. Il a dû boire comme un trou. Il dort peut-être même encore quelque part. Camille se raisonne, rationalise, s'oblige. D'accord, son frère lui fait le coup de celui qui n'y est pour personne. Elle essaie de maugréer pour ne plus se tordre d'inquiétude, la colère c'est plus confortable. Mais au fond d'elle cette petite chose insiste et s'installe, pas convaincue, il y a un truc pas normal.

Ça lui trotte sans cesse dans la tête alors qu'elle débarde en suant, maladroite et distraite. Lubin ne lui dit trop rien, pour ne pas l'accabler ; déjà son frangin les a plantés comme un salaud, il ne veut pas en rajouter, et il a bien vu qu'elle se tracasse. En passant il lui pose une main sur le bras.

— Faut pas te chagriner comme ça, petite, c'est une mauvaise colère, voilà tout.

— Ce n'est pas son genre.

— Est-ce que tu sais vraiment ce que c'est, son genre ? Les gens autour de nous, on les connaît pas si bien qu'on croit.

Elle hoche la tête sans l'écouter, absente et têtue. Cet air grave lui colle au visage toute la matinée. Les autres ont bien vu que ça n'allait pas, tentent de la réconforter, ça arrive chaque année des gars qui jettent l'éponge. Et puis avec la scène d'hier... Elle ne se déride pas. Pas Malo. Pas son frère. Il a beau avoir son caractère, il aurait appelé pour ne pas l'inquiéter. Se faire faire la morale, s'entendre dire les pires choses, il est au-dessus de ça. Ce n'est pas ce qui l'aurait arrêté. Camille cherche la dernière fois qu'il n'a pas répondu à l'un de ses appels, un de ses messages. Malo vit avec son téléphone. Il a cette façon experte de le faire glisser de sa poche à sa main sans que l'on s'en aperçoive, de taper quelques lettres ou quelques mots en continuant à bavarder. Une fois peut-être, elle a attendu sa réponse une heure – il était en partiel à l'école. Et là, cela fera bientôt deux heures. Puis trois. Camille cherche des excuses pour se donner des délais : *Avant dix heures, je ne m'inquiète pas, il peut dessaouler.* Et à dix heures, *non, avant onze heures, parce qu'on est crevés. Peut-être qu'il dort encore.* Et ça tremble à l'intérieur d'elle, partout, gorge et ventre noués. Elle qui vient d'une famille d'athées, la voilà hésitante et les mains serrées entre deux caisses de raisin, priant sans savoir comment s'y prendre, sans savoir même s'il y a une façon de faire, et si c'est grave, et si cela ne marchait pas ? *Allez, mon Dieu, faites qu'il arrive.* À chaque camion, chaque tracteur qui passe, un espoir la fait dresser, peut-être qu'il s'y trouve, profitant du trajet d'un autre. Elle cherche le regard d'Henri qui veut la rassurer. Il essaie. Elle n'arrive pas à le croire.

À midi, avant d'aller vider le camion au pressoir, elle fait un crochet par chez Charlerat. Trouve Émilie qui ne veut rien dire.

— Je ne le surveille pas, mais il n'est pas rentré et je ne sais pas où il est, insiste Camille. Je m'inquiète. Si tu as des nouvelles, ça serait sympa de me rassurer.

— On est restés ensemble jusqu'à trois heures, par là. Après on est repartis chacun de son côté. Depuis, je ne sais pas.

Camille sent un grand vide creuser sa gorge et son ventre. Elle espérait qu'Émilie pourrait lui dire ; elle espérait surtout ne pas trouver Émilie, elle aurait fait le lien. Enfuis ensemble pour aller filer le parfait amour loin des vignes. Elle aurait respiré. Au lieu de quoi il lui semble couler lentement au fond d'elle-même.

— Il était dans quel état ? demande-t-elle d'une petite voix.

— Franchement ? En rage. Après ça allait mieux. Mais il avait la haine contre l'autre con, et contre toi aussi.

— Il t'a pas dit quelque chose de spécial ? Qu'il ne reviendrait pas, qu'il se tirait ?

— Non.

— T'as pas une idée d'où il peut être ?

— Non.

— Vous n'avez pas rendez-vous, quelque chose ?

— Bah non.

*

Sur la place qu'elle traverse au pas en rentrant, vitres ouvertes, elle balaie du regard les silhouettes amassées autour de quelques manèges. Des autos tamponneuses, deux ou trois cabines de pinces où des gamins essaient d'attraper des peluches, un stand de bouffe. Un truc d'altitude, Octopussy Big Monster, ça s'appelle. Un manège pour gosses. Ça braille là-dedans, à n'en plus pouvoir. Au centre, une pieuvre fronce les sourcils sur des yeux clignotants qui changent sans cesse de couleur. Les tentacules se terminent par des wagons qui tournent sur eux-mêmes en même temps que l'ensemble file à toute allure, histoire de redescendre malade à coup sûr. Les longs bras envoient les mômes en bas, en l'air, plus vite, moins vite. Camille entend les hurlements tandis que le forain branché sur le micro demande que tout le monde mette les bras en l'air. On met les mains en l'air. Que tout le monde crie. Ah ça, pour crier, ça crie.

Un coup d'œil sur sa montre. Presque midi et demi. Elle va manquer le déjeuner, elle s'en moque, elle n'a pas faim. La petite boule qui lui ronge le ventre lui coupe l'appétit. En même temps, elle a toujours été nerveuse. Elle s'est toujours trop inquiétée.

Les cris des manèges. Elle ferme les yeux pour y échapper et les sons se transforment. Un vertige. De ces hurlements il ne reste que la détresse, la peur et la douleur, toute joie envolée. Ça s'embrouille dans sa tête. Quelque chose se prépare, qui lui échappe.

— Roule ! crie-t-elle pour elle-même. Avant, avant !

La pièce est douce et fraîche. Une odeur d'herbe écrasée, dehors, rappelle à Octave quelque chose du passé sur lequel il ne peut pas mettre de nom. Il y a seulement cette senteur craquante de fin d'été. Il passe une main fatiguée sur les serviettes empilées au bout de la table. Le parfum de Camille, ou d'une autre, s'échappe des tissus rouge et jaune. Octave l'inspire, vorace, le ramène vers lui d'un geste dans l'air. Recule sur la chaise quand plus rien ne lui parvient et renverse la tête en arrière.

Les autres le regardent. Rien à faire.

Lubin annonce de sa grosse voix qu'il essaie d'arrondir : *Le petit, là, son frère* – il fait un geste du menton vers Camille –, *il n'est plus là*. Octave répond par un léger haussement d'épaules. D'accord.

— On sait pas où il est fourré. Peut-être qu'il est parti. Peut-être qu'il lui est arrivé quelque chose.

Octave le regarde toujours. Et alors ? Camille, au bout de la table, a les larmes aux yeux, se retient de le traiter de salaud. Pas l'ombre d'un regret, pas un regard pour elle, qui s'excuserait du bout des yeux, sans raison, simplement parce que c'est son domaine, ses vendanges et son équipe. Pas le moindre sourire désolé. Et pas un mot. Les termes de Madeleine lui reviennent : *La gueule noire. Jamais un sourire.* Elle bloque tout en elle, pour ne pas éclater en sanglots. Charlotte veille sur elle comme seules savent le faire les filles, avec cet instinct de mère ou d'infirmière, ou les deux, qu'Octave épie du coin de l'œil et qui le dégoûte. Un bras autour de ses épaules. Il voudrait tant que ce soit le sien. L'absence de Malo ne le touche pas. L'arrange même. Une sorte de porte ouverte, voilà tout.

— Il faut rembaucher, murmure-t-il.

Lubin secoue la tête.

— C'est pas ça que je voulais dire.

— Je vais aller prévenir la gendarmerie, intervient Camille, la voix cassée.

Un haussement de sourcils d'Octave, un tout petit sourire en coin cette fois.

— Tu t'affoles pour un rien…

— Comment ça pour rien, il a disparu depuis cette nuit et ça ne te fait rien, ça ne vous fait rien, à tous, juste parce que vous pensez que c'est un sale con qui fait un caprice ?

— Attends la fin de la journée, tempère Henri. Si, comme je le pense, il a pris un coup de colère et qu'il a bu toute la nuit, on peut le voir réapparaître dans l'après-midi. *Vraiment*, ajoute-t-il pour Camille qui le regarde d'un air suspicieux.

— On peut en reparler ce soir, propose Lubin. Je fais le pari aussi qu'il sera revenu.

Seul le visage fermé de Camille leur répond. Charlotte leur envoie un regard chargé de reproches. *C'est normal qu'elle s'inquiète.*

— Chaque année y en a qui filent, dit Lubin. Pourquoi pas lui ? Ça ne lui plaisait pas plus que ça, le boulot.

114

— Il n'a même pas pris son sac, lance Camille.

— Il sait que tu le ramèneras, va.

— Jamais il n'a fait ça. Jamais il ne m'aurait fait ça à moi, vous comprenez? Me faire des angoisses comme ça, c'est pas lui.

Henri suspend un geste.

— Tu sais, Camille, je le connais bien. Il est vraiment impulsif. Peut-être que tu n'imagines pas ce dont il est capable parce qu'il a toujours fait attention à toi.

L'intervention d'Henri la surprend; elle semble en réévaluer la crédibilité quelques instants, dit d'une toute petite voix:

— Tu crois?

— On a pas mal bourlingué tous les deux. Je l'ai déjà vu faire pire. Une fois avec Charlotte en vacances – il lui met un coup de coude, *tu te souviens?* – il nous a laissés sur place après une engueulade pour rien du tout, on n'était pas d'accord sur le resto, tu imagines. Il est parti. Avec la caisse. On était en rade au bord de la route et mon portefeuille était sur le siège arrière. Il est jamais revenu. On était du côté de Bordeaux, il nous a fallu vingt-quatre heures pour rentrer. On l'a revu six mois après, ton grand frère chéri. Tu vois, on est toujours potes.

Camille sourit malgré elle, s'accroche à cette idée. L'épouvantable caractère de Malo. Pas longtemps: Lubin abat son poing sur la table et arrache lentement la masse de son corps au banc en bois.

— C'est l'heure. On y va.

— Et cet après-midi, il va pleuvoir? demande Julie.

— Toujours pas. Demain peut-être.

Ils s'éloignent, Octave les suit du regard. À nouveau il pense à cette curieuse altercation silencieuse la nuit dernière, quand Malo est rentré du bourg; cette façon qu'ils ont eue de ne pas se croiser, juste une insulte de part et d'autre, un geste, un mot. Il n'en a parlé à personne, pas même à Andreas – mais Andreas devine tout. Ce moment où il a espéré de toute sa force et de toute son âme que Malo irait se perdre à jamais dans les bois. *Magique.* C'est le terme qui lui vient en tête. Il y a cru, c'est arrivé. Oui, magique.

Ou alors, une étrange coïncidence.

Comme Andreas descendu dans la cuisine à la fin de la nuit.

*

Dix-sept heures. Le regard vrillé au pressoir, Lubin règle la serre.

— Tu restes là? lance-t-il à Georges.

— Si.

— Oui. On dit *oui*, foutu Portos.

Georges se marre.

— Oui, Lubin. *Monsieur* Lubin.

Le contremaître esquisse une gifle en passant derrière lui, rejoint Camille.

— Roule, petite. Il reste un voyage. Ça ne t'ennuie pas de faire un peu d'heures sup?

— J'aime autant, dit-elle avec un haussement d'épaules. Sinon je rumine.

— Faut pas. Ça m'a l'air d'être une belle canaille, ton frangin.

— Il est comme ça. Mais il a bon fond.

— Bien au fond, hein? Tiens, va par là.

Camille prend la fourche à gauche, suit la petite route et retrouve le chemin au bout de quelques minutes. Elle s'engage en première, à cheval sur des ornières plus profondes.

— On a mis plus longtemps que je pensais ici, marmonne Lubin. Deux heures de plus que l'an dernier. Multiplié par le nombre de vendangeurs, ça fait une paie.

— Il y avait peut-être plus de raisin ?

— Ouais. Un peu. Ça explique pas tout. Le groupe est pas très bon. Il en faudrait des comme toi dans tous les rangs, qui cravachent la journée entière.

Elle sourit. *Merci.* Lubin enchaîne :

— Tu as essayé de l'appeler ?

Elle comprend aussitôt et soupire.

— Évidemment.

— Tu as laissé un message ?

— Quatre. Et aussi à ses trois meilleurs copains – en dehors d'Henri. Mais aucun d'eux n'a de nouvelles. Malo n'a fait signe à personne.

Un silence désagréable s'installe dans le camion. Camille pense au dernier message qu'elle a crié sur la boîte vocale de Malo, furieuse et angoissée : *Malo, merde !!* Et elle a raccroché. Elle voudrait ne pas s'inquiéter, croire aux paroles rassurantes d'Henri ou de Lubin. Quand Malo sera calmé, il rentrera. Ou il les attendra à Paris, comme si c'était normal. Impossible d'appeler les parents pour vérifier : tous deux sont à l'étranger, chacun de son côté, un en Asie, l'autre aux États-Unis, histoire d'être sûrs de ne pas se croiser. Elle ne veut pas les inquiéter en leur envoyant un mail ; pas encore. Si elle s'affolait pour rien, comme a dit l'autre salopard. Pourtant elle rêve de ne plus être seule à porter cette angoisse. Comme si elle allait devenir moins lourde.

Cela fait vingt-deux heures qu'elle n'a pas vu Malo.

— Je vais prévenir les flics, murmure-t-elle.

— Arrête, dit Lubin. Ils ne feront rien. Il est majeur.

Elle coupe le moteur en arrivant au bord de la parcelle. Les caisses pleines sont rangées le long des vignes ; elle en compte trente et une, se gratte la tête, entend le rire gêné de Lubin.

— Imagine qu'il y a des gens qui paient pour se faire les muscles. C'est pas de la chance, ça ?

Camille se plante au bout d'un rang sans relever.

— Quand même, il y a cette dispute avec… Octave – elle a du mal à dire son nom –, Malo s'en va et ne revient pas. Le hasard fait bien les choses, hein ?

Mais Lubin secoue la tête, envoyant promener l'hypothèse d'un geste.

— Tu peux aussi admettre plus simplement que ton frère n'a pas supporté l'engueulade et qu'il est parti.

— Pourquoi personne ne veut croire que ce n'est pas son genre ?

— Peut-être qu'il ne nous a pas donné beaucoup mieux à voir ces jours-ci.

— C'est dégueulasse, dit-elle, les larmes aux yeux.

Lubin fronce les sourcils.

— Aide-moi, dit-il. Qu'on en finisse avec ces foutues caisses.

*

La gendarmerie se trouve au bord du bourg, abritée par un carré cubique des années soixante-dix, blanc et un peu sale. Ça vieillit mal, les constructions de cette époque. Les grilles bleues sont ouvertes. Repeintes depuis peu, à voir la façon dont elles brillent.

Camille referme la portière sur elle, respire à fond. C'est étrange comme se tenir là entérine sa conviction que la situation est grave ; mais aussi comme elle croit profondément que d'autres vont s'emparer de cette peur infinie, chercher Malo, patrouiller, lancer des appels. La décharger de son angoisse. Et surtout apporter des réponses. À cet instant, pour elle tout n'est qu'une question d'heures avant que l'on retrouve Malo. Le même raisonnement que lorsqu'elle prend rendez-vous chez le médecin et qu'elle sait que son angine va s'arrêter : elle s'en remet à eux. Son toubib. Les gendarmes. Elle entre dans la gendarmerie avec un espoir à la mesure du nœud qui lui bloque la gorge.

Cet immense espoir qui s'effrite au bout de quelques minutes. Quand le gros en face d'elle lui dit :

— Bon, je résume. Votre frère et vous faites les vendanges depuis le 20 septembre au domaine de Vaux. Il est majeur. Il se dispute avec votre employeur. On ne le revoit pas le lendemain, c'est-à-dire aujourd'hui. Pourquoi est-ce que vous vous inquiétez ?

Elle le regarde, incrédule.

— Mais… parce qu'il n'est pas rentré. Parce qu'il n'est pas là. On faisait les vendanges, quoi.

— D'accord. Y a-t-il une autre raison ?

— Comme je vous l'ai dit, il s'est disputé avec le patron.

— Des menaces ?

— Euh… non, mais…

— On va essayer de faire simple. Qu'est-ce qui vous fait penser qu'il aurait disparu plutôt que d'avoir simplement abandonné les vendanges, par exemple ?

— Que… qu'il n'est pas là. Et qu'il ne répond ni au téléphone ni aux sms, et que ses amis n'ont pas de nouvelles non plus.

— Vous avez prévenu ses amis ?

— Oui, cet après-midi.

Un silence. Le gendarme la regarde, elle le sent, comme une gamine affolée, immature, gavée de séries télé. Elle ne doit pas être la première à venir avec une histoire qui n'en est pas une ; à s'inventer des drames de tous les côtés.

— Est-ce que ses amis s'inquiètent ?

— Non…, murmure-t-elle en baissant la tête – elle se trouve si bête soudain.

— Je ne dis pas qu'il n'y a pas de quoi. Mais c'est peut-être… prématuré. À moins que vous ayez une certitude et que souhaitiez porter plainte.

— Non… enfin… je voudrais simplement qu'on le cherche.

Il rit.

— Ce n'est pas comme ça que ça se passe ! Soit vous avez des raisons valables d'être inquiète, et on fait un signalement immédiat. Soit vous n'avez rien de plus que ce que vous venez de me dire, et on attend avant de déployer des moyens pour pas grand-chose. Il ne faut pas vous affoler comme ça. Vous savez que plus de quatre-vingt-dix pour cent des adultes disparus reviennent d'eux-mêmes après quelques jours ? Plus de quatre-vingt-dix pour cent ! Et puis pour juger qu'une disparition est inquiétante, il faut la faire qualifier par le proc. Ça prend du temps.

Il se tait, un vague sourire aux lèvres. Camille le dévisage sans un mot, effondrée. Le silence dans la gendarmerie. Pas longtemps.

— Alors ? dit le gros.

— Alors ? répète-t-elle. Je ne sais plus… Qu'est-ce qu'il est possible de faire ?

— Le mieux, je vous explique. Je prends votre déposition, on met tout ça noir sur blanc. Et puis on

120

voit venir. Je préviens les collègues, la mairie, des fois que quelqu'un ait vu quelque chose, même si je n'y crois pas. S'il revient, vous nous appelez immédiatement. S'il y a un fait nouveau aussi. Et on fait un point ensemble dans quarante-huit heures. Et arrêtez de vous inquiéter comme ça.

Octave erre longtemps la nuit dans le jardin encore chaud. Sous ses chaussures ouvertes il sent l'herbe lui piquer les pieds, sèche et jaune. Oui, longtemps il se promène, bien après que les lumières s'éteignent enfin dans les dortoirs des vendangeurs et que les bâtiments se taisent absolument. Alors à son tour il ouvre la grande porte et rentre dans la maison à peine fraîche, prend la canne dans une main pour monter l'escalier.

Arrivé en haut, il dépasse sa chambre. L'hésitation s'est à peine vue, cela fait des heures qu'il y pense. Pour la première fois depuis des années, il s'engage jusqu'au bout du couloir. La main traînant le long des boiseries, à pas lents pour que la canne ne fasse aucun bruit, il sait où il va.

Un frisson lui parcourt le ventre et il s'arrête pour y échapper, cherche une cigarette et s'y reprend à deux fois pour l'allumer, parce que ses mains tremblent. La fumée dans sa gorge ne l'apaise pas. Il brûle la cigarette en quelques bouffées âcres, écrase le mégot sur le rebord d'une fenêtre et le jette dehors en jurant. Encore une fois il essaie de se dissuader ; mais au fond de lui, il sait que cela ne sert à rien. Il a déjà décidé qu'il le ferait.

Pourtant il ne faut pas ; il ne faut pas et ça ne se fait pas. Ce n'est pas tellement ce qui le gêne d'ailleurs, il s'en moque éperdument, des règles et des normes; mais c'est que s'il commence, il ne s'arrêtera plus. Comme les chiens qui tuent une fois prennent le goût du sang : une seule fois suffit.

Alors il écarte la tenture au bout du couloir. Derrière, une porte épaisse, noire, fendue et solide. Une grosse clé rouillée pend à la serrure, accrochée par une ficelle sale; il l'introduit dans le pêne et tourne à deux mains le verrou grippé, lentement pour ne faire aucun bruit – malgré tout il entend le clac quand le loquet cède.

Entrer.

Un autre couloir.

De ce côté-là aussi la porte est recouverte d'un pan de tissu aux teintes tristes, masquant le passage qui relie les bâtiments entre eux, au-dessus du porche.

Octave avance à pas feutrés, il a le pouls qui bat trop vite, qui pourrait s'entendre, lui semble-t-il. Mais il connaît la maison et ses bruits et ses grincements, par cœur. En quelques pas il atteint les dortoirs, pose une main sur la porte de droite. Hésite encore. Il aurait dû dire à Lubin de leur donner des chambres individuelles. Le risque qu'il prend est multiplié par quatre; mais qui aurait pu prévoir? Mentalement il repasse l'agencement du dortoir, la place de Camille qu'il est venu repérer dans la journée, à l'entrée à gauche. Se remémore l'état du parquet. Du sapin. Cela grince si peu.

Une inspiration, il pousse la porte centimètre après centimètre : l'univers s'ouvre à lui. Il reste plusieurs secondes immobile en travers du chambranle, le temps de vérifier les respirations dans la pièce, de deviner les visages fermés à la lumière de la nuit. Camille dort un bras recourbé contre la joue, le drap descendu sur les reins. Le regard d'Octave s'engouffre. S'ancre sur la silhouette fine, retient une main qui s'avançait. Tentation. Il fait un pas et entre au bord de la chambre.

Combien de temps il se tient là sans bouger et sans bruit, il ne sait pas, la perception lui échappe. La sensation aiguë d'être à un endroit interdit lui fait battre le cœur, le risque d'être surpris aussi – par elle, par n'importe laquelle des quatre filles qui se réveillerait. Le plus raisonnable serait de revenir en arrière et de refermer cette porte ouverte à tort mais voilà – il fait un pas de plus vers elle, vers le lit, vers la chaise à côté, et il s'assied. Peut-être à un mètre d'elle, un peu plus, à peine.

Le siège a craqué et la respiration de Camille se suspend. Octave reste d'une immobilité absolue, détournant les yeux et se forçant à s'imaginer ailleurs, comme si cela pouvait alléger quelque chose de ses pensées et de l'air qui circule. Se fondre dans la pièce, surtout ne pas porter sur elle ce regard intrus et trop lourd, lui faire oublier qu'il est là. Comme il aimerait être invisible. Cela serait si simple.

Les secondes s'écoulent, il les compte en silence, presque en apnée. Déglutir serait trop dangereux, il y aurait le bruit dans la bouche, la salive au fond de sa gorge le gêne. Dans le calme de cette campagne endormie, il suffirait de ça pour la réveiller. L'attente lui semble longue. Et puis le souffle de Camille reprend son rythme régulier, Octave soupire en dedans de lui, la regarde longuement. Du bout des doigts, il essuie la sueur sur son front.

Il finit par se lever avec précaution et recule à petits pas pour sortir. Ne pas lui tourner le dos. Pour enlever les traces de son passage, il pense, marcher à reculons, dans les mêmes pas qu'en entrant, rembobiner le film à l'envers ce serait comme si rien ne s'était passé. Une sorte de crime parfait. Il se glisse dans l'entrebâille-ment. Une fois dans le couloir il se sent puissant et anéanti, fébrile aussi. L'impression stupide de sortir de son premier rendez-vous quand il était adolescent.

Quelques secondes tendues.

Et puis, le souffle tout contre lui.

*

Andreas ne dit rien. Son visage est blême. Ce pour-rait être à cause de la lune, mais non bien sûr. Mâchoires serrées à les briser l'une contre l'autre il ne bouge pas, immense devant la porte de la chambre. En face de lui Octave est figé dans un geste de peur et de honte, surpris la main dans le sac, le flag. L'humiliation le fait pâlir. Il s'insulte en silence. *Connard, connard…* Il s'était juré de ne jamais se faire reprendre. La dernière fois il avait neuf ans et il avait chipé des fleurs pour sa mère, c'est con, ça partait d'un bon sentiment. Des fleurs volées au bord d'un jardin au prix de trente mètres à ramper dans l'herbe mouillée ; il se sentait fort et rusé. Sauf que le propriétaire était arrivé par-derrière.

Il avait pleuré, il s'était excusé, il avait essuyé l'en-gueulade monumentale et la leçon de morale. Finale-ment le type l'avait laissé repartir avec les fleurs, mais aussi avec ce drôle de poids mortifié dans la poitrine. Le même qui vient de lui retomber dessus, lui écrasant les côtes et les poumons.

Andreas ne dit rien. Si Octave le regardait, il verrait les élans de rage et les efforts démesurés pour ne pas éclater. Mais il ne peut pas. Le passé l'absorbe, le dissout. Au bout d'un long moment, il entend le murmure d'Andreas, déformé par la colère.

— Qu'est-ce que tu fous là ? – et à nouveau cela lui rappelle quelques mots terribles d'il y a trente ans.

— Je vais pisser.

Nouveau silence. Long. Andreas l'observe d'une drôle de façon. Ce regard dérange profondément Octave, neutre, vide, sans message ni question soudain. Et puis il semble s'éveiller.

— Tu la matais, hein ?

Malgré le chuchotement, Octave tressaille de la tête aux pieds, comme si on avait hurlé. Il ne dit rien – il cherche une explication même stupide à lui servir, vite, couper court, partir. S'enfermer dans sa chambre. Il n'aurait jamais dû venir.

— J'ai entendu crier et je suis allé voir. Mais tout le monde dort. J'ai dû me tromper, ou alors il y en a un qui a fait un cauchemar.

Même regard inerte. Octave hésite à s'en aller. Andreas se tient juste devant lui, il faudrait le contourner ; pas sûr qu'il soit disposé à le laisser partir. Il tente :

— Bonne nuit.

Cette fois Andreas l'arrête d'un geste.

— On va y aller tous les deux, d'accord ?

*

Penché au-dessus du lavabo et crachant ses tripes, Octave vomit. Suffoquant, il tremble de tous ses membres, se passe la tête sous le filet d'eau. Putain de malade. Le regard fixé sur le fond du lavabo, il reprend son souffle dans des inspirations douloureuses, le visage agité de spasmes. Effacer les visions coûte que coûte. Mais ouverts ou fermés, ses yeux sont obnubilés par Andreas entrant à son tour dans la chambre.

126

Oui, il l'a laissé faire. Quoi d'autre ? Avait-il vraiment le choix ? Des dizaines de réponses affolées fusent de son cerveau qui demande grâce. Calme, calme. Il ne s'est rien passé. Il est clean, lui. Clean ! Nouveau crachat de bile qui disparaît dans le tourbillon d'eau. Au moment où il revoit Andreas faire glisser le drap au bas du dos de Camille, un sanglot lui vient. Et il se bouche les oreilles à poings fermés pour échapper au murmure ravi, cette saleté de murmure qu'il voudrait n'avoir jamais entendu : *Qu'est-ce que tu en dis, mon vieux...*

Octave a tourné la tête. C'est là qu'Andreas l'a attrapé par les cheveux, le tirant violemment à lui, brutal et hargneux. Il s'en est fallu de peu qu'un cri n'échappe à Octave. Tout contre lui, la bouche suintant à son tympan. *C'est vrai que tu rêves de la baiser ? Il a raison l'autre petit con ? Oui, j'en suis sûr. Tu n'es pas guéri, hein. Ça ne te passera donc jamais.* Il l'a obligé à relever la tête. Son haleine l'étouffait. *Regarde-la, Octave. Je te jure que jamais tu ne l'auras.*

Dans le lavabo un peu de sang se mélange à l'eau, qu'il dégueule depuis le fond de ses entrailles comme si cela pouvait le nettoyer. Le souffle lui manque, il a l'impression que les viscères vont lui remonter dans la gorge et sortir en longs boyaux — reprendre sa respiration, remettre tout cela à l'intérieur, ça va passer, ça va aller. L'instant d'après, il se penche en avant d'un coup, vomissant la laideur du monde.

JOUR 5

Lorsque le premier camion démarre au petit matin, il est huit heures dix. Ils sont en retard et Lubin est de mauvais poil. Peut-être le temps qui n'en finit pas de s'alourdir en gros nuages gris, au fond il vaudrait mieux que cela crève maintenant, les vendangeurs fatiguent, le corps poisseux, et rechignent et maugréent. Usés dès le départ : même un franc soleil brûlant ne leur arracherait pas autant de plaintes. Avec l'air orageux les insectes deviennent pressants. Les mouches, les taons, des petites guêpes hybrides tournent autour des équipes, leur bourdonnant aux oreilles et revenant inlassablement entre deux gestes de la main pour les chasser. On finit par les laisser piquer, pour être débarrassé. Seules restent les mouches qui collent aux yeux, au coin de la bouche, à la moindre parcelle de peau luisant de sueur. Courant sur les visages et les bras, leur fourmillement est insupportable.

Lubin regarde s'éloigner les camions, visage fermé. Les mômes traînent toujours trop à son goût et il a revu son planning, la parcelle qu'il aurait aimé commencer l'après-midi et qu'ils n'attaqueront que le lendemain. Il soupire. Après tout. Ça l'ennuie toujours moins que la tête de Camille ce matin. Inutile de demander si le frangin est revenu dans la nuit. Déjà hier en rentrant de la gendarmerie, elle en avait gros sur la patate. Mais c'est sa faute aussi ! Il le lui avait dit. Tous ces gamins qui n'écoutent pas les conseils des anciens. *On n'est quand même pas là juste pour les emmerder* marmonne-t-il. N'empêche que l'histoire le chagrine, et que la môme a son foutu caractère elle aussi. Avant de monter dans le camion, elle lui a dit qu'elle irait faire le tour de la forêt ce soir. Une sacrée balade. *Tu vas pas aller toute seule là-dedans ?* a demandé Lubin médusé. — *Non, les autres viennent avec moi.* — *Mais vous espérez quoi ?* a-t-il lancé en les regardant bien droit dans les yeux. — *On va avec elle, c'est tout*, a dit Henri. *C'est normal.* — *Bon Dieu, essayez de faire des choses intelligentes, au moins !*

*

C'est pour cela que Lubin fait la gueule ce soir en arpentant le début des bois en bout de ligne. Parce que l'idée lui semble parfaitement stupide, et parce que Octave s'est joint à eux. Du coup le contremaître s'est senti obligé de venir, même s'il n'en démord pas, ça ne servira à rien leur petite promenade. Mais impossible de ne pas accompagner Octave, s'il lui arrivait quelque chose. Une chute. Une blessure. Lubin ne s'imagine pas aller l'expliquer à Andreas. Nom de nom, faire la nounou dans les bois à son âge. Quelle poisse.

— C'est pas raisonnable, dit-il encore une fois, en se débarrassant d'une toile d'araignée qui lui chatouille le visage.

— Personne ne connaît ce bois mieux que moi, assène Octave.

Lubin n'en croit pas un mot, le patron y va si rarement; il ne répond pas – de toute façon ils vont parcourir le parc en diagonale; s'ils ne trouvent rien, ils rentreront sans s'affoler, des gamins qui pètent un plomb et qui claquent la porte en se fondant dans la nature, on en voit chaque jour. Il regarde les jeunes qui avancent, espacés d'une vingtaine de mètres les uns des autres. Ils marchent lentement, se jettent des coups d'œil de loin en loin, appellent avec des *Ohé et* des *Malo.* Lubin est presque content que Pascale en soit : elle va au même rythme qu'Octave. Camille lui a proposé de rester au domaine mais elle a exigé de venir. *On est tous avec toi*, a-t-elle dit – et Camille a enfin souri.

Le petit groupe s'enfonce dans la forêt, une vingtaine d'hectares à fouiller ça ne prendrait pas si longtemps, mais la propriété est en coteaux, irrégulière et vallonnée, et longe d'autres bois. Lubin aimerait aller plus vite, les mettre au trot. Avec le patron c'est impensable. Ils finiront à la nuit.

— On fera quoi, quand on n'aura rien trouvé ? soupire Octave.

Lubin hausse les épaules. Ils rentreront et ça sera bien fait : il l'avait dit. *On coupera court*, marmonne-t-il. *Le gamin est parti, point. Après ça ne nous regarde pas. Y a pas à se sentir coupable.* Ce disant il jette un œil vers Octave, qui le regarde en retour. Pas un mot entre eux. On se comprend bien.

Sur le côté, les jeunes appellent sans relâche. Lubin donne de la gueule à son tour, pour montrer qu'il participe. C'est lui qui a fini par leur dresser le parcours, qui les a espacés en se calant sur Camille, affectée au sentier; il crie :

— Camille ? Toujours sur le chemin ?

— Oui ! Et toujours rien !

— Quand tu arrives à la clairière, tu préviens, on changera de cap.

À côté de lui, Charlotte souffle. Comme les autres sans doute, mais il ne les entend pas, plus loin sur les lignes.

— C'est pas trop dur ?

— Ça va, dit-elle. C'est bien de faire ça.

Soudain ils sont interrompus par un appel d'Henri. *Venez voir !* D'instinct, ils abandonnent tous leur place pour converger vers la gauche. Le sous-bois est si dense qu'il y fait presque sombre et les silhouettes se regroupent en courant. Octave traîne à l'arrière, fulminant, tirant sur sa jambe comme un diable.

— Par là ! Par là !

Camille arrive la première, s'arrachant aux ronces, et crie une consigne, on ne s'approche pas trop, au cas où — au cas où quoi, elle n'en a fichtrement aucune idée, mais sait-on jamais. Juste derrière elle, Lubin déboule en sueur. Un coup d'œil expert autour d'eux : rien. Camille jette un regard perplexe à Henri.

— Eh bien ?

— Y a une clope par terre. Pas fumée. Cassée.

Camille laisse échapper un soupir sans trop savoir si c'est de soulagement ou de déception. Elle s'agenouille, retourne la cigarette avec une brindille. Le fait qu'elle soit déchirée et tordue l'intrigue un peu. Celui qui voulait la fumer a pu être surpris et la faire tomber. Ou simplement s'asseoir sur son paquet à un moment ou à un autre, découvrir qu'une cigarette était abîmée et la jeter.

— Philip Morris, murmure-t-elle.

— C'est ce qu'il fume?

Camille acquiesce, gorge serrée. *Merde.*

— Moi aussi.

Ils se retournent d'un coup. Derrière eux, Octave a fini par les rejoindre et sort un paquet jaune qu'il agite de gauche à droite. Ils le regardent tous.

— Tu viens souvent par ici? s'étonne Henri.

— Souvent, non. Mais cela m'arrive.

— Récemment?

— Oui, peut-être pas cette semaine, mais sûrement la précédente.

— D'accord, dit Camille un peu perplexe. Mais, euh… on pourrait quand même partir de l'hypothèse que Malo est passé par ici, même si ce n'est pas sûr?

— Si tu veux, intervient Henri.

Alors elle déplie le plan du cadastre dont Lubin lui a donné une copie, trace un trait au gros crayon à l'endroit où ils sont et hachure une parcelle. *Voilà, on a couvert cette partie à peu près, je pense, tu es d'accord, Lubin?* Le contremaître se penche sur la feuille, opine :

— Oui, en gros oui.

— Où est-ce qu'il a pu aller? murmure Camille songeuse.

Elle suit du doigt les lignes sur le plan, comme si la réponse s'y trouvait. Les parcelles de bois forment des dessins sans logique, sans géométrie, avec des recoins et des couloirs. Des traits pointillés indiquent des chemins forestiers possibles. *Ça?* demande-t-elle en en montrant un. — *Il n'existe plus depuis des années*, dit Lubin. Camille continue à observer le plan, se retient pour rester calme, la feuille de papier tremble dans ses mains. *Mais ne t'inquiète pas*, chuchote Henri, *ça ne veut rien dire cette clope.*

— Là.

Octave a tendu le bras et désigne un endroit sur la carte. Camille regarde attentivement. *Pourquoi là?* finit-elle par dire. *Y a rien.*

— Si. L'étang.

Le regard de Lubin s'éclaire.

— L'étang. Bon sang, c'est vrai qu'il est pas sur le cadastre, je l'avais oublié.

Le silence tombe d'un coup sur le petit groupe. Tous les yeux s'écarquillent, se rivent à ceux de Lubin qui explique : *Il a été creusé par l'ancien propriétaire sur le parcours d'une source il y a plus de trente ans. Il a pas été déclaré à l'époque, ça n'avait pas d'intérêt. Paumé au fond de la forêt. Personne ne le voit, personne n'y va depuis que le vieux n'est plus là pour pêcher.*

— Il est loin, cet étang? coupe Henri.

— Encore dix, quinze minutes d'ici.

— On y va, dit Camille sur un ton qui n'admet pas la discussion.

Elle ajoute un trait de feutre vers l'endroit indiqué par Octave, fait un petit rond pour signaler l'étang. *Un peu plus haut*, précise-t-il. Elle ramasse la cigarette à ses pieds et la met dans sa poche de chemise.

— Tu vas en faire quoi? demande Charlotte.

— Je ne sais pas. Je vais juste pas la laisser là.

— Hé les filles, on n'est pas à la télé, grogne Lubin. On la jettera en rentrant. Y a pas de cadavre et y en aura pas, d'accord? Allez. Avancez.

— On se remet en ligne! crie Camille.

Le temps d'accéder à l'étang, il ne s'est pas échangé plus d'une dizaine de mots dans le petit groupe. Les seules questions que Camille perçoit sont celles que Lubin pose

136

à Octave à voix basse, mais même lui finit par se taire : le terrain escarpé a raison de son souffle trop court. S'ils avaient la tête à observer le paysage, les vallons verts et ronds, la lumière dorée et les arbres immenses, tout les ravirait. Au détour de chaque chemin sinueux, un nouveau décor se découvre : une trouée dans les bois, un rocher monumental, des arbustes étouffés par la forêt qui ont poussé, bas et étendus comme des parasols, sur plusieurs mètres de long. Seulement cela les laisse froids à cet instant, ils sont tous à l'affût de la même chose : le reflet d'un étang, le bruit d'une source. Une ou deux fois Octave a hésité, rebroussé chemin. Pas grand-chose, quelques pas pour prendre une autre direction en suivant un sentier invisible. *Je ne viens pas souvent*, s'excuse-t-il. Le sol devient dur et pierreux, ils l'observent régulièrement : impossible d'y trouver la moindre trace. Le temps sec n'arrange rien, Lubin enrage. Ils vont faire ça pour peau de balle. Juste pour rassurer la môme.

— Voilà, dit enfin Octave.

Ils se regroupent, s'arrêtent tous sur une plate-forme de granit. En contrebas, l'étang les surprend par sa taille modeste, sans doute parce qu'ils s'attendaient à quelque chose d'imposant. Charlotte et Camille s'asseyent sur l'une des pierres en soupirant. Il fait lourd. Camille essuie la sueur sur son visage – ou peut-être une larme. Lubin la regarde sans aménité, à ce moment-là il s'en fout de la petite, sa chemise trempée lui colle au dos, il a horreur de cette sensation de mouillé, il veut rentrer, boire un coup, enlever ses godasses avec ses pieds serrés dedans qui n'en peuvent plus. Il claque les mains sur son pantalon.

— Je vais descendre, dit-il. Restez en haut. Je n'en ai pas pour longtemps à faire le tour.

Camille a bondi. *Je viens.* L'espace d'une seconde, Lubin hésite. Elle a ce regard noir qui le défie, pour s'il s'opposait. Il sait qu'elle n'en démordra pas ; il soupire.

— Reste derrière.

— Je vous accompagne, dit Octave.

— Ce n'est pas utile.

— Je vous accompagne, répète-t-il, buté.

Lubin refrène un geste irrité. Ferme la bouche qu'il avait ouverte pour protester. Sur le côté, Camille hausse les épaules, il l'invite d'un signe de tête. *Allons-y alors.* Elle court juste derrière lui. *Merci*, souffle-t-elle. Ils s'engagent dans le minuscule sentier recouvert de feuilles et de mousse. Lubin se retourne.

— Octave ?

— Oui, sursaute celui-ci. J'arrive.

— Ça va ?

Octave ne répond pas. Regard dans le vague. Camille l'observe, un peu étonnée, les sourcils froncés. Lui s'arrache à cette sorte de flottement, fait un mouvement de tête pour leur signifier qu'il les suit. Seule la sensation reste.

En approchant de l'étang, soudain, il a remarqué la branche.

Les bras croisés sur la poitrine, les joues encore rouges de la soirée passée à ratisser les bois, Charlotte boude à présent.

— C'était joué d'avance. On le sait, qu'il est parti.

— Personne ne t'a obligée à venir, aboie Camille.

— On l'a fait pour toi ! Pour te montrer que Malo était pas là. Maintenant que tu le sais toi aussi, tu vas peut-être te mettre dans la tête qu'il est parti et c'est tout.

Henri lui met une main sur le bras.

— C'est bon, de toute façon il fallait le faire, on était tous d'accord. Maintenant on est fatigués, on va essayer de ne pas s'énerver. Je propose qu'on boive un coup, déjà.

Camille fait un geste excédé, va s'asseoir à l'autre bout de la terrasse en marmonnant quelque chose. Il semble bien à Charlotte avoir entendu une insulte au passage. *Petite conne*, marmonne-t-elle pour elle-même. *C'est bon, là.* Assis sur les canapés en fer et crevant de soif, ils se servent à boire, bredouilles et déçus. Après avoir fouillé les abords de l'étang, ils ont baissé les bras. Bien sûr qu'ils ont continué à balayer la forêt, mais le cœur n'y était plus. Personne n'espérait encore que Malo pouvait être là ; et Lubin en remontant des berges a lâché ce qu'ils pensaient tous : *Il a foutu le camp, point final.* En disant ça il a jeté un coup d'œil à l'étang et tous se sont fait la même remarque, de toute façon si Malo était là-dedans, plus rien n'y ferait. Sauf que personne n'y croyait, et que l'idée avait une drôle de légèreté. En attendant leur humeur a trinqué et ils sont rentrés renfrognés. Camille, du bout de la terrasse, leur tourne le dos. Elle leur en veut de ne plus la croire, de s'être ralliés à Lubin. La forêt n'est qu'une partie des possibilités – un signe de plus cependant qu'elle s'inquiète peut-être pour rien, et elle essaie encore une fois de se convaincre qu'il n'est rien arrivé à Malo. Elle liste les éléments qui plaident pour cette option : Émilie l'a vu la nuit avant, rien n'a été signalé côté gendarmerie, aucune trace, aucun indice d'accident n'existe. Mais il n'a jamais agi de cette façon – un serrement à la gorge. Il ne lui aurait jamais fait ça à elle, sa petite sœur, sa protégée. Quoi alors ? Happé par un trou noir ? Avalé par la terre ? Non non, vois le bon côté, s'il y avait un vrai problème on en aurait entendu parler ; pas de nouvelles, bonnes nouvelles, et tout ça. Elle attrape fébrilement son téléphone, renvoie des messages : *Toujours rien pour Malo ?* Ça bipe quelques secondes plus tard, Jean qui demande : *Non, y a un problème ?* Elle s'affaisse sur la chaise, remet le portable dans sa poche sans répondre.

Autour d'elle les autres l'oublient, la délaissent. Malgré la menace et l'incertitude, malgré les heures de crapahutage qui les ont claqués, l'existence reprend pied seconde après seconde dans leurs bavardages. Au fond le départ de Malo ne les touche pas. Ils ont tous vécu des disputes familiales, des départs, des ruptures : ils savent bien que cela passe. Pour eux, l'affaire est pliée, c'est la vie. Camille les déteste. Jusqu'à Octave, qui s'est replié dans la maison soutenu par Lubin, pâle et boitant plus fort que d'habitude – il avait qu'à ne pas venir, elle ne voulait pas de lui, la déchirure entre l'absence de Malo et la fascination pour cet homme défiguré, ses phrases hachées, ses regards sur elle, c'est trop difficile à gérer. Impossible de s'autoriser ce curieux rêve, quand elle se doit tout entière à la recherche de Malo. Il est peut-être blessé, prisonnier quelque part ; et même si, d'une certaine façon, elle meurt d'envie de courir auprès d'Octave, elle ne le fera pas ; elle aurait trop honte d'être heureuse en ce moment.

Camille descend les quelques marches en tentant un regard furieux sur les autres. Mais ils ne font pas attention à elle, sa détresse ils l'esquivent, elle les entend commencer à rire en racontant des anecdotes. Noté. Qu'ils crèvent, ces égoïstes ! Elle s'avance les mains dans les poches jusqu'au pré des chevaux qui se tassent à l'ombre des grands chênes. L'un d'eux est couché. Elle se souvient qu'un cheval reste toujours debout en temps normal. C'est le plus vieux. Octave a dit une fois qu'il était perclus d'arthrose. Un instant Camille hésite à le prévenir.

Et puis elle aussi elle s'en fout, des autres.

*

Lorsque la voiture de la gendarmerie entre lentement dans la cour, Camille bondit de surprise. Elle se retient d'une main à la rambarde en pierre parce que ses jambes se dérobent. La terreur qu'ils viennent annoncer quelque chose de terrible. Les flics, les gendarmes, ce n'est jamais bon signe de les voir. Elle inspire une gorgée d'air et court jusqu'à eux.

— Vous avez du nouveau ? s'alarme-t-elle.

— Non, ne vous inquiétez pas. On vient seulement faire un tour.

De soulagement, elle se passe une main sur le front, les larmes aux yeux. De soulagement, et d'un regain d'espoir soudain. *Ils me croient. Ils viennent interroger Octave. Fouiller la maison.* En descendant de voiture, le gros qu'elle a vu la veille demande : *Lubin est dans le coin ?*

— Au pressoir, intervient une voix derrière – Georges, qui est resté plus tard à cause de la battue dans la forêt, à faire le travail du contremaître, et qui ajoute : Il faut qu'il vérifie tout.

Camille leur emboîte le pas mais le deuxième gendarme l'arrête.

— S'il vous plaît, dit-il en mettant une main devant elle.

— Mais…

— On vient juste discuter. Nous. Pure routine.

— Oui mais… mais je peux venir quand même ?

— On vous appelle si on a besoin de vous.

Elle jette un coup d'œil au gros, qui salue Lubin venu à sa rencontre. Ils retournent tous les deux au pressoir, et Camille aurait essayé d'aller écouter aux portes si le jeune gendarme n'était pas resté dehors. De loin il la regarde, l'air mécontent. Sans cette petite curieuse, il serait à l'intérieur lui aussi.

Quelques minutes à peine, et Lubin ressort avec le gendarme, se dirige vers la maison. Camille a un sursaut de joie. *Ils vont interroger Octave. Ils vont les interroger.* Enfin ! Henri, Charlotte et les autres regardent depuis la terrasse eux aussi. Camille se ronge les ongles comme si sa vie en dépendait. Le temps ne passe plus qu'au rythme de ses pieds qui s'agitent, trop lentement, elle n'en peut plus. Lorsque Lubin sort, elle se rue sur lui.

— Alors ?

— Alors ? demande-t-il étonné. Ils veulent juste entendre notre version des faits. Histoire de confirmer ce que tu as dit, et de savoir s'il y a lieu de s'inquiéter.

— C'est tout ?

— Oui, qu'est-ce que tu croyais ? Qu'on allait repartir les menottes aux poignets ?

— Non, bien sûr, se rattrape-t-elle. Je pensais que… qu'ils chercheraient peut-être. Dans la maison, ou dehors…

— Camille, avant que *eux* ne t'accompagnent dans ta battue en forêt, il y a loin. Pour l'instant rien ne les incite à s'affoler.

— Parce que vous avez dit que Malo était un con ! Qu'il n'était pas fiable ! Vous faites tout pour qu'ils ne prennent pas cette histoire au sérieux !

— Arrête de déconner ! Oui, on est tous persuadés que ton crétin de frère est parti ! Octave, moi. Tes copains aussi ! – et il les prend à témoin en les montrant du doigt, attroupés autour de lui ; aucun d'eux ne dément. Pourquoi est-ce que tu t'es fourré dans la tête qu'il lui était arrivé quelque chose ?

Elle fond en larmes, parce qu'il ne la croit pas, parce qu'il lui parle mal. *Malo*…, articule-t-elle à grand-peine, les mains ouvertes dans un geste désespéré.

— Ah, grogne Lubin. Viens m'aider à finir au pressoir. Ça te changera les idées.

Quand la voiture bleue repasse une demi-heure après, c'est lui qui l'arrête. Il se penche à la fenêtre, Camille dans son sillage.

— Tout va bien ?

— Bah oui. Pour l'instant on ne bouge pas. Le gamin a l'air équilibré, normal, même s'il est insolent… pas de quoi faire un signalement. Oh, Lubin. Le collègue de ton patron, tu sais, le père Noël… apparemment il est souffrant, on n'a pas pu le voir. Tu m'appelles quand il va mieux ? Je repasserai. Ça me donnera l'occasion de raconter aux copains à quoi il ressemble, ça sera ma minute de gloire.

Lubin réprime un rictus, crache par terre.

— Je m'en occupe. Si un jour il va mieux. Y a toujours un pet de travers avec ces gens-là.

Les mouches et les taons tournent autour d'Octave, excités et collants dans le reste de lumière, qui l'agacent avec leurs bourdonnements aigus. Ses jambes lui font mal. C'est pour cela qu'il est sorti si tard. Une fois sous l'arche des arbres, les insectes l'abandonnent peu à peu, chassés par l'obscurité et la fraîcheur qu'ils abhorrent. Seules quelques mouches en groupe s'envolent sur son passage, qu'il voit à peine. Des champignons à moitié dévorés parsèment le sous-bois, qu'il n'avait pas remarqués tout à l'heure.

Octave n'est pas un homme de forêt ; mais il a l'instinct, urbain et violent, du chasseur. Cet étang, il le *sent*. C'est pour cela qu'il y retourne : à cause des traces. Personne d'autre que lui ne pouvait les remarquer, c'est trop infime. Il ignore ce qu'il fera une fois là-bas, quelque chose le dérange et il y va. Il avisera sur place. S'il trouvait Malo ? Il y pense, et aussi à la façon dont il lui aurait écrabouillé sa gueule d'ange s'il en avait eu les couilles l'autre nuit. C'est une bonne idée cet étang, au fond : il aurait pu trucider Malo, puis le lester pour le plonger dans l'eau, exactement l'image qui l'a saisi quand il y est passé avec les autres. Il y a un endroit idéal, impossible d'accès, là où les ragondins ont creusé sous les racines de l'immense cèdre. Avec le temps, une partie de la terre s'est éboulée par en dessous et il reste cette bulle, cette sorte de minuscule grotte intérieure. Quand il a fait dévaser l'étang il y a quatre ou cinq ans, il a repéré cette cavité étrange dont l'entrée est invisible une fois remise en eau. C'est là qu'il aurait poussé le corps de Malo avec une longue perche, jusqu'à le coincer bien au fond, bien serré, bien tassé. Il se serait arrangé pour barrer l'entrée avec une ou deux grosses branches mortes. Des branches comme si elles étaient là depuis des mois. Par précaution.

Mais bien sûr, il ne trouvera pas Malo.

Il ne fera rien de tout cela.

Au bout de trois quarts d'heure de marche pénible, il arrive en surplomb de l'étang et s'arrête. Un instant fugace, il croit deviner une silhouette assise sur la pierre au bord de l'eau, lui tournant le dos. *Mais non*, murmure-t-il, *je me trompe*. Il descend à petits pas, de biais, pour ne pas glisser sur les mousses, et s'assied. Un soupir.

Sous le ciel lourd de nuages, l'eau devant lui est d'un vert opaque, lisse, sans un pli. Une sorte de forme plate et déserte, une clairière perdue au milieu de la forêt, nue, les arbres ont été repoussés au loin, noyés. Le ruisseau qui alimente l'étang est presque à sec, Octave pense : *Il faudrait qu'il pleuve*. Ça gronde au loin dans l'horizon incertain. Il s'étire avec précaution, son corps est courbatu de la battue pour Malo et il a dû prendre des médicaments supplémentaires qui ne font pas effet, pas assez. La chaleur le gêne ; le thermomètre indiquait trente et un degrés à dix-neuf heures, ça ne tiendra pas. Tant pis pour le raisin ; le soleil reviendra bien. Des bois lui parvient l'odeur enivrante de la sève des pins, une odeur qui ne vient qu'avec les grosses chaleurs. Le ciel est prêt à craquer.

Octave étend sa jambe douloureuse. Il a mille bonnes raisons de laisser ses pensées divaguer, de les obliger même à le faire, pour éviter de regarder le bout de l'étang, tout comme il s'en est empêché tout à l'heure avec Camille et les autres. Pourtant une seule chose l'intéresse : le trou des ragondins. Il finit par forcer son regard, le cœur battant, tournant la tête vers la cavité imperceptible. C'est pour cela qu'il est là, parce que ça le gêne, parce qu'il sera incapable de s'endormir s'il n'a pas vérifié. Et il avait raison. Malgré lui, un petit sourire lui relève le coin des lèvres. C'était certain. Jamais encore sa mémoire maladive ne lui a fait défaut. Et les médecins qui lui disaient de s'en méfier, les cons ! C'est la seule chose sur laquelle il puisse compter les yeux fermés. La seule chose en lui digne de confiance. Il ajuste son champ de vision, exhale un petit rire content. *J'en étais sûr.*

Devant le trou, à moitié immergée, il y a cette branche morte.

Or il n'y a jamais eu de branche à cet endroit. Parce qu'il n'y a pas d'arbre.

*

Octave a sorti avec précaution la branche de l'étang, l'a déposée sur le bord avant de la jeter dans le pré d'à côté. Cela sent fort la vase et ses mains sont glissantes, il les essuie sur l'herbe drue, nettoie quelques taches de boue sur son pantalon. Remonte en hâte autant qu'il le peut.

Sur son perchoir à nouveau, il s'accroupit et regarde, un long moment. Ses yeux voient trouble et il doit les plisser pour continuer à surveiller la surface de l'étang. Devant le trou il n'y a plus rien, ni branche ni remous ni bulle d'air, pas même les ronds infimes d'une araignée d'eau traversant d'une rive à l'autre. *Bien*, dit-il à voix basse. Tout est redevenu comme avant. Les choses sont en ordre.

Un peu de sueur lui coule dans le dos.

JOUR 6

La Grenouille a un gnon sur la pommette et personne ne fait semblant de la croire quand elle dit qu'elle s'est cognée à la table de nuit en se levant. Madeleine pousse des hauts cris. *C'était déjà comme ça avec le Dédé, faut pas que ça reprenne avec çui-là ! C'est toi qu'aimes ça ou quoi ?* Assise dans son coin, la Grenouille marmonne en bouffant son sandwich. Du pâté de foie, comme tous les matins à la pause. Il faut dire qu'elle démarre à cinq heures avec le ménage et qu'à dix heures elle a faim. Les autres en sont aux croissants, que chacun apporte à son tour ; parfois Lubin fournit les thermos de café – sans sucre, faut que tout le monde s'y fasse, c'est comme ça.

— Si ça recommence, tu gueules ! conseille Madeleine.

La Grenouille opine sans cesser de manger. Georges lance une plaisanterie pas fine, une de celles qui auraient fait pâlir Camille ou Charlotte, mais elle se marre en douce. Elle fait partie de ces gens pour qui une blague, même méchante, est toujours plus drôle que le quotidien. Madeleine a raconté aux filles que son premier mari avait le feu au cul et qu'il la réveillait quatre fois la nuit pour tirer un coup : quand elle protestait, il cognait. La Grenouille a acquiescé.

— L'avantage c'est qu'avec lui ça durait trois minutes, comme les lapins. C'était pas fatigant, mais ça réveillait quand même.

C'est pour ça qu'elle l'a quitté – pour les coups. Quand elle est partie il lui a cassé une dent sur le devant, mais c'était pas le bout du monde à côté des trois qui lui manquaient déjà. D'où la promesse de son bonhomme actuel.

— Pour ses quarante ans elle aura un râtelier, confirme Madeleine.

Lubin passe entre eux en frappant dans les mains. *On y retourne. Allez, tout le monde.*

— Y a pas le feu ! crie Madeleine.

— Avec toi y a jamais le feu, sauf pour la paie.

— Je vais t'apprendre à mal parler aux vieilles ! Ta mère te torchait encore le cul que j'étais déjà au travail !

Il l'attrape et la serre dans ses bras en l'embrassant. *Tu sais que je t'aime, toi.* Elle regagne son rang en bougonnant, ravie. Faut dire qu'il a de la présence, Lubin, avec son mètre quatre-vingt-cinq et ses cent kilos passés de muscles et de générosité cachée sous son air bourru. Des mains à vous décoller la tête s'il vous mettait une baffe, mais quand il embrasse, c'est quelque chose. Pascale jette à Madeleine un petit coup d'œil envieux ; Lubin lui plaît à la grosse, malgré la différence d'âge, et il y trouverait de quoi poser ses paluches s'il voulait bien. Pas dit que ça ne se fasse pas à la fin des vendanges. Camille suit son regard en silence, mâchoires serrées, jette la caisse dans le rang derrière elle. Pascale sursaute.

— Tu m'as fait peur, s'exclame-t-elle.

Camille se contente d'un petit hochement de tête. Rien à foutre. Elle a même fait exprès, pour casser le flottement dans les yeux de la grosse, pour qu'elle aussi son rêve se brise, et que la journée soit merdique. Pour que tout le monde y ait droit.

*

La pluie est venue d'un coup, en même temps que l'orage. Pendant un moment ils se sont pressés dans les camions, portes ouvertes pour que ça sente moins fort la sueur, la crasse et l'alcool. L'odeur de chien mouillé aussi, un peu écœurante, qui les écartait les uns des autres à se demander s'il n'y en avait pas un qui s'était pissé dessus. En même temps, la température a chuté de six ou sept degrés. Lubin est passé d'un camion à l'autre pour distribuer les cirés.

— Souvenez-vous du numéro inscrit à l'intérieur pour les jours suivants.

Camille déplie le 14. Elle sort ses bottes et range les godillots, comme les autres, à part Paul qui veut rester en baskets.

— Tu vas avoir les pieds trempés, dit Julie.

— Je supporte pas les bottes.

— Je me demande ce que tu supportes. Tu t'entendrais bien avec mon grand-père qui est en maison de vieux.

Lubin sort le premier du camion, pour donner l'exemple. Ils suivent comme un troupeau résigné, capuche sur la tête, silhouettes uniformément kaki en grandes capes. De loin, on dirait des poupées grossières en robe de papier. La pluie rebondit sur les vignes, éclabousse les bottes d'une terre argileuse presque jaune, colle aux talons en grosses mottes lourdes. À la fin des rangs, il faut se frotter les pieds sur les piquets en bois. Madeleine dit qu'on gagne presque un kilo.

L'horizon ressemble à un rideau de pluie. *On travaille vraiment jusqu'à cinq heures ?* demande Pascale.

— La pluie du matin n'effraie pas le pèlerin, chantonne la Grenouille.

— Il est midi et les pèlerins t'em… !

— Non, sans blague, reprend Julie, on revient cet après-midi s'il pleut comme ça ?

Madeleine rit aux éclats sous les gouttes régulières. *Qu'est-ce que tu crois, qu'ils en ont quelque chose à faire de nous ? Il peut neiger on y sera toujours ! Et le plus dur c'est de repartir après le déjeuner.*

Glissant dans les rangs en pente, Camille retient la brouette à grand-peine quand les caisses sont pleines. La terre est une patinoire, la pluie ne s'arrête pas. La rupture d'avec le temps des jours précédents est brutale et son regard bute sur le brouillard qui monte des parcelles tels des fumigènes. Entre deux échanges boudeurs où les vendangeurs crachent leur mécontentement au ciel, de longs silences se font, mélanges de fatigue, de maux de dos et de résignation.

— J'ai l'impression de patiner ! crie Madeleine.

— C'est pas une impression, réplique Lubin. Moi aussi je trouve que tu recules tellement tu vas lentement !

— Moi j'avance toi tu recules, comment veux-tu comment veux-tu que je…

— Ta gueule, Madeleine !

À midi dans la grande salle ils s'effondrent, mouillés aux manches et les cheveux ruisselants, les pantalons trempés malgré les cirés, là où la pluie glisse entre les boutons à pression. Octave entre, hausse les sourcils en les voyant.

— Marcaud au téléphone, dit-il à Lubin.

— Ah. J'arrive.

— Moi j'y retourne pas, balbutie Charlotte en tremblant de froid.

— C'est payé double sous la pluie? demande Paul.

Lubin sourit. *L'après-midi passe vite.* Il dépasse
Octave, sort en courant presque. Octave qui s'arrête
devant Camille, dit à voix basse, à la fois narquois et
furieux :

— On te doit la visite des gendarmes, alors. Tu dois
être contente.

— Je…

— Comme ça ils nous ont interrogés. C'est ce que
tu voulais. Tu vas peut-être arrêter de nous épuiser avec
cette histoire.

— Pas Andreas… Ils n'ont pas…

— Bien sûr que si. Ils sont revenus ce matin. Maintenant, que ce soit clair : je ne veux plus de ça. Andreas
n'est pas en état de supporter ce genre de tension. C'est
fini.

*

Quand la journée s'achève il pleut toujours. Lubin
leur fait laver les cirés au jet d'eau avant de repartir,
la boue s'est collée à l'intérieur jusqu'à la hauteur des
genoux, maculant les bottes et les jeans. C'est le dos
qui tire le plus, usé par le poids des imperméables épais.
Une douche bien chaude pour se détendre les muscles,
a conseillé Georges.

Au pressoir, l'immuable rituel. Camille arrive bonne
dernière; elle a dû repartir chercher quatre caisses vides
qu'ils avaient laissées dans la parcelle de la veille. Le
camion glissait sur la route tapissée de boue, elle a
conduit lentement. Ça, c'est ce qu'elle a dit. En réalité

elle a fait un crochet par la gendarmerie, emmenant le Trafic aussi vite que possible sous la pluie. Elle rentre avec des yeux de terre.

— Te voilà! l'accueille Lubin en lui tendant un verre.

Cette fois elle le vide d'un trait, sans même dire merci, grelottant dans son tee-shirt humide. Elle remonte ses cheveux trempés, plaqués sur son front. Le gros n'était pas à la gendarmerie; il a presque fallu qu'elle crie pour qu'on lui ouvre, parce que c'était l'heure de la fermeture. Devant l'air excédé du gendarme à l'intérieur, elle a dit très vite :

— Je voulais juste savoir si je peux joindre un de vos collègues, un grand, assez costaud avec une moustache, là…

— Ah. Gerber sans doute. Ah oui. C'est vous qui êtes venue pour votre frère.

— Oui… Et, euh… il est passé ce matin chez mon employeur mais je n'étais pas là, alors je me demandais si…

— Ouh la, je vous arrête, on va gagner du temps : Gerber ne travaille pas aujourd'hui. Vous faites erreur.

— Mais… il est passé… ou alors quelqu'un d'autre ?

— Non, pas que je sache. Et puis c'est un dossier à lui, vraiment c'est impossible. On vous a mal renseignée.

— Et alors, petite, tu ne dis rien ? s'exclame Lubin en la resservant d'autorité.

— Foutu temps, hein ? dit Georges devant son visage encore mouillé.

— Demain normalement le soleil revient, marmonne Lubin. Mais ça sera encore trempé du matin.

— Ça va le raisin ?

— Avec la flotte il y aura moins de sucre. On compensera, on a des formules magiques. Hein, patron ?

À côté d'eux, Octave incline la tête sans rien dire et Camille croise son regard. Des yeux délavés comme s'il avait été sous la pluie avec eux, du gris des nuages bas et laiteux, qui la sondent sans retenue. Elle sent sa gorge se serrer, son esprit s'emballer. *Menteur, menteur.*

Comme chaque soir, Lubin est en pleine conversation avec Georges : cette fois ils font des paris sur le degré d'alcool qui sortira de ce jour de pluie, sur la météo du lendemain. Il faut encore laver le sol des camions, surtout celui de location, que ça reste à peu près propre. Ils n'ont pas rentré le tuyau d'eau à cause de ça.

— Dis un chiffre, demande soudain Lubin à Camille.

— Quoi ?

— Un chiffre. N'importe lequel. Celui qui te vient à l'esprit.

— Euh… sept ?

Lubin frappe dans la main de Georges. *Impair. C'est toi qui t'y colles.*

— J'avais dit les pairs !

— Les impairs, foutu Portos, vas-y ou je t'en mets une.

— Écoute, monsieur Lubin, je te propose une chose, on y va ensemble et demain, si tu perds, j'en suis.

— Je suis trop sentimental.

Camille bondit avec eux, laissant Octave sur place. En prenant le couloir elle tire Lubin par la manche. *Je peux te dire quelque chose ?* Il s'arrête les bras croisés, la regarde de biais.

— Tu m'en prépares encore une, toi.

— Non, c'est promis... Je voulais juste savoir...
Qu'est-ce qui se passe vraiment là-haut? Tu sais?
Andreas.

Lubin ne dit rien. Juste une légère moue sur son
visage fermé. Camille monologue à voix basse :

— Qu'est-ce qu'il a, pour se cacher comme ça? Tu
le connais, Lubin. Est-ce qu'il ressemble à un monstre?
Un vrai, pas comme Octave. Est-ce qu'il bouge? Est-ce
qu'il est paralysé sur un lit? Attaché, comme les gens
dangereux — elle saisit le bras de Lubin. Dis-moi. Est-
ce qu'il est libre de faire ce qu'il veut?

— Mais oui, râle-t-il, qu'est-ce que tu imagines
encore?

— Octave a menti. Il a dit que les gendarmes étaient
revenus aujourd'hui.

— J'en sais rien, Camille, je n'y étais pas, moi,
j'étais avec vous sous la flotte. Mais je ne vois pas
pourquoi il mentirait.

— Pour ne pas que j'aille voir Andreas.

Lubin soupire, lève les yeux au ciel.

— Est-ce qu'il peut être pour quelque chose dans la
disparition de Malo? insiste Camille.

— Arrête de chercher le mal partout.

— Même toi tu ne l'aimes pas, ça se sent. Qu'est-ce
qu'il a ce type?

Il ouvre les bras en signe d'impuissance, les relâche.
Se tape la tempe du doigt.

— Il est juste fou; mais pour de bon, c'est sûr. Prêt
pour l'asile, avec les centaines de toiles qu'on a fait
rentrer pour qu'il les barbouille, et qu'on n'a jamais
vues nulle part. Avec les fenêtres allumées jour et nuit,
et tu ne sais pas s'il dort ou s'il surveille, il est juste là
tout le temps...

— Tu le connais bien?

Un sourire crâne, une étincelle mal assurée dans le regard. Lubin lâche un *En fait, non* mystérieux, met un doigt sur sa bouche. *Y a des choses, vaut mieux pas en parler.*

— Il est comment ? continue Camille. Il est *normal ?*

— Ça suffit, coupe Lubin. Dis-toi seulement qu'il ne sort jamais de cette chambre, jamais, tu entends. Il n'a pas pu rencontrer ton frère. Il n'a même jamais pu croiser son regard.

*

— Henri.

— Oui.

— Je peux te dire quelque chose, et tu ne te fâches pas ?

— Quoi encore.

— Je sais qu'il y a un problème avec Malo maintenant.

Un silence. Et puis un long soupir.

— Vas-y. Explique.

Elle lui dit. Peut-être réfléchit-il, car il n'y a aucun bruit entre eux.

— Octave t'a menti alors, reprend-il.

— Oui. C'est énorme, hein ?

— Camille, je vais te dire ce que j'en pense, même si je doute que cela serve à quoi que ce soit, parce que je te l'ai déjà dit. Pour moi, Malo est rentré à Paris. Il a filé en boîte, comme d'habitude. Il a trouvé une jolie nana, et après, il est du genre à ne pas quitter le pieu pendant une semaine. À cet instant, je pense qu'il essaie l'une des positions fétiches du Kamasutra, ou qu'il fume une clope entre deux. D'accord ?

159

— Mais…

— Quoi, mais ?

— Pourquoi Octave aurait menti alors ?

— Putain, pour avoir la paix ! Excuse-moi, mais on finirait tous par faire pareil pour que tu nous lâches avec ton frangin ! On n'en peut plus, de Malo ! Tu sais combien de fois je l'ai vu disparaître comme ici ? Peut-être huit, dix fois. Alors franchement, moi aussi si je t'avais sur le dos, je te raconterais n'importe quoi.

*

Derrière la terrasse rincée par la pluie, le grand percheron se tient au bord du pré. Les deux plus jeunes broutent à l'autre bout ; ils l'ont abandonné. Moloch tient son antérieur en avant, tête basse sous la souffrance ou quelque chose qui y ressemble. Octave le regarde de loin, ne s'approche pas. Il ne veut pas l'inciter à marcher s'il le voyait, quémandant une caresse ou un morceau de pain.

Pourtant c'était le plus fort. Et puis la vie… La vie a une sorte de jouissance morbide à écraser les plus solides. Vingt-deux ans : même pas la fleur de l'âge pour un homme, le bout du rouleau pour un cheval de près d'une tonne. Octave cède, traverse la cour sous les trombes d'eau. Moloch l'entend d'abord puis le voit, relève la tête, les oreilles en avant. Un petit hennissement rauque, guttural. Bienvenue. Combien de fois encore ? Octave sort le morceau de pain de sa poche, met ses mains sur l'encolure chaude. Il sent le rythme de la mastication. Tant qu'il y a la gourmandise. Il voudrait absorber la douleur et la prendre sur lui, il est si habitué. Un coup d'œil au ciel, mais le ciel ne fera rien que cette putain de flotte et la douleur restera sur eux deux, Moloch et lui. Il serre les poings. *Ne te couche pas*, murmure-t-il au cheval. *Faut pas te coucher, tu m'entends ?*

Le bruit derrière, il se retourne. Camille est au bord du pré.

— Qu'est-ce que tu veux ? lance-t-il durement.

Elle ne répond pas. Ruisselante et silencieuse, elle pense : *Savoir jusqu'où tu mentiras.* Octave remonte jusqu'à elle.

— Viens, dit-il en montrant le pressoir vide. On est suffisamment trempés comme ça…

Ils s'asseyent autour du tonneau qui sert de petite table. Camille allume une cigarette. Octave attrape la bouteille de ratafia et la tend vers elle.

— Peut-être qu'on pourrait faire la paix maintenant, murmure-t-il.

Camille se concentre pour ne rien laisser paraître. Elle ne veut pas balancer toutes ses cartes ; elle ne lui dira pas, pour le mensonge, elle a trop peur qu'il se méfie. Elle a confiance : de son côté, Lubin ne lui en parlera pas. Il déteste les conflits. Mais elle. Elle, la colère lui donne des ailes. Elle va y aller, dans cette maison de merde. Et voir ce qui s'y passe. *Doux doux*, pense-t-elle, *il va s'apercevoir de quelque chose.* Elle baisse les yeux.

— Tu ne réponds pas ?

La main en suspens. Elle souffle la fumée.

— Oui. Peut-être.

— Rancunière, sourit-il. Tu admets qu'il est parti à présent.

Elle le regarde sans ciller.

— Non. Je ne crois pas.

Octave tapote la table du bout des doigts, interloqué.

— Quoi alors ?

— Je pense toujours qu'il lui est arrivé quelque chose.

— Tu n'as aucune raison de penser ça. On a fait tout ce qu'on pouvait.

— Je sais. Mais c'est comme ça. Je sens qu'il y a eu quelque chose.

Octave ne peut pas s'empêcher de sourire.

— Tu « sens »...

— Oui.

— Et maintenant ? Tu as une idée ?

— Oui.

Octave darde sur elle son regard gris soudain. Intéressé.

— Je t'écoute.

— Je pense que c'est lié à votre dispute. Il a disparu juste après.

— Il a passé la nuit avec une fille. Lubin me l'a dit.

— Oui, mais il est rentré. C'est après, qu'on ne l'a plus revu.

— Il n'est pas rentré.

— Je crois que si.

Octave la regarde un moment sans rien dire, secouant lentement la tête de gauche à droite.

— Ton frère est jeune, en pleine santé, solide. Que veux-tu qu'il lui arrive ?

— Justement. C'est la question.

— Tu me la poses ?

— Oui.

Il rit, un peu gêné.

— Tu crois que c'est moi qui ai la réponse.

— Pas forcément toi.

Octave fronce les sourcils.

— Je ne te suis pas.

— Andreas, dit Camille.

*

Octave recule sur la chaise, livide. La métamorphose de ses traits bouleverse Camille. Elle demande d'une petite voix : *Ça va ?*

— Andreas, répète-t-il pour lui-même.

Elle voit les yeux agrandis par une sorte de stupeur, les mains agrippées au bord de la table pour ne pas trembler et qui tremblent quand même. D'une certaine façon la réaction d'Octave lui montre qu'elle a mis dans le mille. Elle ne s'attendait pas à quelque chose d'aussi violent, d'aussi vif ; mais elle est sûre d'avoir touché juste maintenant.

— Je sais que vous êtes très liés, chuchote-t-elle. Je veux seulement trouver mon frère. Rien d'autre. Je ne veux pas créer de problèmes.

Octave déglutit, le regard à l'intérieur de lui, flou, mauvais. Camille donnerait cher pour savoir ce qui s'y joue : l'amitié indéfectible, fraternelle entre les deux hommes ; sa place à elle dans les pensées d'Octave. Ce qu'il sait. Ou pas. Ce qu'il dira ou pas. Andreas. Le nom résonne, sauvage, à ses oreilles.

— Tu ne comprends pas, murmure Octave.

— Qu'est-ce que je ne comprends pas ?

Il se penche vers elle. Encore plus bas la voix.

— C'est dangereux, là où tu vas.

Assis sur la chaise à côté du lit, il la regarde. Il articule son nom, *Camille*, sans un son. Il avait juré de ne pas revenir dans cette chambre. Ça ne valait pas grand-chose comme promesse mais il voulait essayer. Et sans doute à cause de l'émotion, l'apparition d'Andreas dans la bouche de Camille, cette angoisse irraisonnée – peut-être tout cela. Voilà, il est là.

Elle dort et il contemple sa silhouette longue et fine, à moitié découverte sur des courbes qu'il ose à peine effleurer du regard. Cette fille aux cheveux blancs, à la merci des griffes au bout de ses bras qui rêvent de la serrer et de ne plus jamais la lâcher, des mains qui tremblent sous les assauts du désir et du sang, elle lui sourit dans son sommeil. Il lui rend son sourire sans s'en rendre compte, indécis et carnassier. Peut-être est-ce cela au fond qui a fait basculer les choses, ce sourire. Il est sûrement trop chargé, de fièvre et de peur, et cela a pesé sur l'air. Il est descendu jusqu'à elle.

Elle ouvre les yeux d'un coup et elle le voit. Elle pousse un cri terrifié.

Il bondit en murmurant une excuse, touche le vide car elle s'est levée comme un chat, dans un réflexe trop rapide pour lui. Il l'entend hurler.

— Camille, je t'en prie. Je vais t'expliquer.

164

Mais elle se plaque contre le mur et continue à crier, et elle n'a pas vraiment tort, et il ne trouve pas d'excuse – le cri continue, l'affole, les autres vont se réveiller, devraient déjà l'être, rien ne se passe normalement. Il supplie. *Camille, je suis désolé. Je suis désolé.* Soudain il devine l'éclat de la lame sous un rayon de lune, le couteau argentin rapporté lors de l'un de ses voyages, et qu'elle a attrapé sur les étagères. C'est surprenant comme les secondes se décomposent dans ces moments-là, le temps qu'elle lève le bras, il se rappelle qu'il l'avait offert à sa grand-mère horrifiée quelques mois avant qu'elle ne meure. Un couteau relégué sur une étagère dans une chambre occupée une semaine par an. Il se dit qu'il n'a pas de chance encore une fois – et puis le geste de Camille revient et elle frappe au hasard, fort.

Il sent la douleur fulgurante dans les côtes, bascule en arrière en étouffant une plainte.

*

La chaise se renverse. Il se rétablit d'extrême jus-tesse. Les yeux exorbités, s'étranglant tant le souffle lui manque, il balaie la pièce en une fraction de seconde.

À côté de lui Camille dort toujours. Les trois autres filles aussi.

Il pense effaré : *Une vision. C'était une vision...*

Incrédule, il porte une main à son côté, ne trouve ni sang ni blessure. Il est prêt à tomber tant le cœur lui cogne et il a dû faire du bruit car Camille se retourne dans son sommeil, la respiration inégale. Il recule précipitamment. S'engouffre dans le couloir, repousse la porte et s'éloigne de trois pas. Ses jambes le portent à peine, l'adrénaline le secoue tellement qu'il est obligé de s'adosser au mur. Il se donne trente secondes pour récupérer, trente secondes qu'il compte en silence, priant pour ne croiser aucun des vendangeurs. Lorsqu'il finit de compter, son cœur bat encore dans tous les sens. Son flanc droit l'élance comme si Camille y avait planté le couteau. Courbé et chancelant, il s'éloigne de la chambre. Vieux, douloureux, misérable.

*

Au moment où la poignée de la porte se relève sans bruit, Camille ouvre les yeux d'un coup.

Elle guette la porte un long moment. Elle vérifie qu'Octave ne revient pas, ses doigts tapent nerveusement l'un contre l'autre. Elle ne se rendort pas. Allongée sur le lit les yeux grands ouverts, elle pense à cette silhouette furtive. À ces nuits où elle se réveille en sursaut, sans raison, et soudain l'explication lui fait comme une gifle.

Il entre dans la chambre, se glisse sans bruit. Il ne fait rien. Il la regarde elle, pas les autres. Elle finit par s'éveiller, elle ouvre les yeux, la chambre est vide.

De nuit en nuit les visites continuent. S'accélèrent. Le visage indéfinissable dans le dortoir sans lumière, la respiration silencieuse mais hachée.

Elle se prend la tête dans les mains, essayant d'atténuer le frisson de peur. Pourquoi il la surveille, qu'est-ce qu'il lui veut? Elle comprend qu'ils sont l'un et l'autre bien au-delà d'une possible histoire qui se cherche. Bien plus profond. Et bien plus grave.

*

Encore haletant sur la terrasse, Octave a tourné le transat face à la fenêtre d'Andreas. Des verres sont restés sur la table et il les a débarrassés, mécontent. C'est ce qui lui a donné l'envie du whisky en pleine nuit. Avec des glaçons, pour l'éclaircir. Il s'est servi une putain de dose pour trinquer tout seul et se remettre d'aplomb, un verre presque rempli, ventre vide, la journée de cagnard et maintenant la fraîcheur de la nuit : pari gagné, la tête lui tourne. À la lumière de la lune il lui semble deviner les traits d'Andreas là-haut derrière la vitre, qui passe et repasse comme un chien enragé en attendant qu'il s'en aille – mais il ne partira pas, il veut qu'Andreas le voie, sache qu'il occupe le terrain. Qu'ils cherchent ensemble comment colmater cette horrible fissure qui se dessine entre eux depuis l'arrivée de Camille. Alors il regarde la fenêtre, l'air buté et provocateur, à peine effleuré par l'idée qu'Andreas puisse ne pas bien le discerner dans la nuit. Quand l'effet de l'alcool s'estompe, il grelotte en somnolant, mais l'idée de se lever et de rentrer l'épuise, ne l'atteint pas. Il met ses mains sur les oreilles et tout se tait miraculeusement. Il essaie de fermer les yeux, perd l'équilibre, se récupère de justesse. Les bras en croix sur le transat, touchant le sol, Octave contemple le ciel et y lit les formules dessinées par les constellations. Il le fait depuis qu'il est môme, inventer des équations impossibles ; à la fin, il trouve toujours à quoi elles aboutissent. La formule du lait caillé, celle de l'inversion des pôles ou de la bulle dans l'air. Celle du bleu Majorelle, celle de la guerre et celle de Dieu. Tout le temps qu'il décrit la formule, il la construit et l'imagine : c'est le jeu, même si tout est faux. Cassiopée au carré multipliée par le Taureau moins Alcyone, ramenée à Hadar – on s'en fout que « ramené » ne soit pas une formule mathématique valide – et ajoutée à Andromède, avec la grande diagonale, arrive en nord-nord-ouest, multipliée par la Voie lactée que l'on devine ce soir.

Deux ou trois fois il sent sa tête partir sur le côté.

Il finit par s'endormir engourdi et heureux, sans savoir pourquoi, sans même s'en apercevoir ; calé au fond du tissu rêche, il attend les visions. Ou au moins le repos. La seule pensée qui le traverse et qui l'inonde : *Dormir*. En paix.

Longtemps.

Autour de lui le monde bruisse, l'enveloppe comme une berceuse. Il sourit à demi lorsqu'un souffle d'air passe dans ses cheveux. Les insectes sont cachés pour la nuit et les seuls bruits qui rythment son mauvais sommeil sont le hululement des chouettes, le cri de certains oiseaux. Parfois au loin, une voiture qui passe, mais il ne l'entend pas. Une sorte d'abîme l'a happé, profond et serein, qui lui est inaccessible sans drogue ou sans alcool. Pourvu que cela dure, signale en boucle un circuit de son cerveau qu'il n'entend plus. Pourvu que cela dure...

*

— Hé.

La première dissonance. Mais Octave est loin, ne comprend pas. Une très petite étincelle quelque part au fond de sa conscience. Il lui semble qu'il remonte péniblement à la surface du monde depuis les limbes.

— Hé.

Cette fois il entrouvre les yeux et pousse un cri. Lubin aussi a une légère exclamation de surprise en reculant.

168

— Bon Dieu! dit-il. J'ai cru qu'il était arrivé quelque chose.

Octave ne répond pas tout de suite, horriblement courbaturé. Il sent la transpiration dans son cou, qui mouille sa chemise, en même temps qu'il tremble. Lumière grise indéfinissable. Lubin défait sa veste, la lui pose sur les épaules en demandant à demi :

— Mais qu'est-ce que… ?

Octave regarde autour de lui en rassemblant ses idées, l'alcool, l'épuisement. Le froid dans tout le corps, il a du mal à articuler avec ses lèvres raides.

— Il est quelle heure ?

— Un peu plus de cinq heures.

— Cinq heures ?

— Du matin.

— Oui.

Il se redresse petit à petit. Son dos, ses jambes, sa tête, tout est douloureux. Il se prend le visage dans les mains.

— Ça va ?

Un petit signe sans répondre. Il se mord les lèvres pour y faire circuler un peu de sang.

— J'ai dû m'endormir.

— Comme ça ?

— Mmm.

Il le surprend en train de regarder le verre ; Lubin ne dit rien cependant.

— Ça y est, la journée démarre ? marmonne Octave pour se donner une contenance.

— Faut bien…

En même temps Lubin a levé les yeux vers la fenêtre d'Andreas. Par un curieux instinct, il comprend aussitôt. Hoche la tête.

— Faudrait rentrer maintenant. Prendre une douche chaude pour ne pas attraper la mort. Il commence à faire frais ces temps-ci.

Il l'aide à s'extirper du transat en le prenant sous les bras. Octave glisse, ravale son humiliation, s'excuse : *Avec ma patte » je ne me mets jamais là-dedans, je n'ai pas réfléchi.* — *C'est pas grave*, dit Lubin. Par la fenêtre Andreas le regarde sûrement. Applaudit. Octave se sent comme un scarabée sur le dos, incapable de se retourner seul, avec cette douleur hurlante à la hanche et dans la jambe, une envie de crier lui vient, mêlée à une fureur désespérée. Il imagine Andreas devant lui, entend son rire hystérique à le voir ramper dans la cour. Alors il s'arrache à l'étreinte de Lubin, chancelle sur la canne – se fait rattraper au moment où il va tomber.

— Ça va, dit Lubin.

Octave fait un geste de la main pour le rassurer en grimaçant de honte.

JOUR 7

La lassitude. Au matin ils ont plongé les bras dans les vignes ruisselantes, mouillant leurs manches jusqu'au coude malgré les cirés. Au fond des vallées, la brume fait un épais tapis gris qui ne se décide pas à s'évaporer et, jusqu'à dix heures, des gouttelettes de brume passaient en biais devant leurs yeux. Il faisait froid aussi, la piquette, ont dit les vieilles, ce temps qui donne les doigts gourds, là où les sécateurs entaillent le mieux les mains, quand celle qui coupe ne sent plus la proximité de celle qui effeuille. Toujours le poids des cirés sur les reins. Ils les ont enlevés quand même, et tant pis pour les vêtements qui puent déjà les sulfates à plein nez.

Au milieu de la matinée, Lubin leur sert la goutte. Ça s'engouffre dans les gorges, brûlant les boyaux et le fond des oreilles. Madeleine avale son petit verre d'un coup après le café.

— Ah! Ça va péter des flammes! Garez-vous, les jeunes, restez pas derrière!

— Et pas d'allumette devant la gueule à Madeleine quand elle va brailler maintenant, prévient Georges. Elle va cracher du feu sinon.

Camille et Julie ont toussé en buvant leur part. *Mais c'est quoi ce truc?* — *Chez nous*, dit Lubin en riant, *on appelle ça du couche-pépé. C'est pas pour les fillettes, c'est sûr.*

L'alcool leur tient chaud au corps le temps que le soleil réapparaisse avec lenteur. Quelques rayons timides, des pièces de ciel bleu derrière les nuages éclaircis. Georges et Lubin hochent la tête d'un air content ; ça ressuiera pendant l'heure de la pause et ça aura séché l'après-midi. Pour le raisin c'est mieux. Lubin avale un grain, recrache la peau et les pépins. *Plein de flotte !* ronchonne-t-il. Il jette la grappe dans une caisse déjà pleine.

— Emmène, va, dit-il à Camille.

Elle n'attendait que ça. Au volant du camion elle descend les chemins en cahotant, patinant sur les ornières malgré le 4×4. Elle n'a jamais vu une terre aussi beige, aussi argileuse. Serrée au point que la pluie n'y rentre pas et s'écoule en ruisseaux minuscules, qui dévalent les sentiers et creusent les trous et déversent sur la route une eau boueuse et glissante. Camille entend la terre se décoller du camion et taper contre la tôle en dessous ; bientôt plus rien, hormis le suintement des pneus sur la départementale abîmée. Elle roule à soixante-dix. Pas d'urgence. Le cœur lui bat là-dedans.

Au pressoir elle décharge les caisses avec Georges, court jusqu'au dortoir où elle se rince le visage. Ses pommettes brûlées par les engrais lui font deux taches rouges sur les joues ; un peu de crème – elle met le tube dans sa poche pour l'emporter. Au moment où elle sort de la bâtisse, elle s'arrête. Devant elle, la maison. Un coup d'œil vers le camion : Georges est occupé à régler la presse, à ramasser les grappes de raisin tombées par terre. Un petit quart d'heure, estime-t-elle. Il ne lui faut pas plus. Elle balaye du regard la façade blanche, respire un coup. Putain, quelle trouille cependant… Elle s'engueule tout bas, l'occasion est trop belle d'aller trouver Andreas. Elle ne risque rien. Ou un méchant savon. Autant dire rien, elle en a vu d'autres ; mais ses mains tremblent. Pourtant depuis hier elle a préparé tous les scénarios possibles. S'il accepte de l'écouter, s'il refuse, si Octave fait irruption d'un coup. Ça lui coûte quoi de lui parler ? *À moins que ce ne soit lui.*

Elle ferme les yeux un bref instant, non, il n'est rien arrivé à Malo, en tout cas rien de grave, mais Andreas a peut-être vu, entendu quelque chose, lui qui vit à sa fenêtre au gré de ses insomnies. Voilà, c'est ce qu'elle lui dira : elle cherche un témoin. Concentrée sur cette idée rassurante, elle monte les marches du perron et s'immobilise sur le seuil. Fait semblant d'appeler.

— Il y a quelqu'un ?

En même temps elle se rassure – Octave ne s'est pas montré ce matin, elle le suppose à la coopérative. Ou ailleurs. Du rez-de-chaussée, elle lève la tête vers le plafond, humant l'air comme si elle pouvait deviner quelque chose d'Andreas. Elle se répète qu'une partie de ses réponses est là-haut ; où est allé Malo, pourquoi il ne donne aucune nouvelle malgré ses messages tourmentés. Voilà pourquoi rencontrer Andreas est inévitable. Elle fait un pas. L'impression d'entrer dans un territoire interdit. Elle s'encourage en silence.

*

La voiture à cet instant n'est plus qu'un amas de ferraille méconnaissable. Il faut sans doute savoir ce qu'a été cette forme avant l'accident pour admettre des restes de ressemblance, sans quoi peu de gens trouveraient la bonne réponse. Une voiture? Rien ne permet de l'identifier. S'il y avait le son, cela changerait les choses. Andreas l'entend, lui, mais il est le seul. Les pneus hurlant sur le macadam, le bruit des vitres cassées, il connaît par cœur. Mais il est le seul, toujours; et de toute façon il n'y a pas le son. Juste la voiture qui ne ressemble pas à une voiture.

Ce qui crève les yeux en revanche, c'est la violence de l'impact. Impossible d'imaginer que ce tas de ferraille a été une voiture – et encore il faut le redire, une berline allemande, si ç'avait été autre chose, une française, une italienne, une japonaise, au bout de la route la mort garantie pour eux tous. Un choc extrême. Cela se devine dans le mouvement autour de la voiture qui s'expose à grands traits denses, hachurés, coupants.

En vrai ç'aurait été impossible : dans cette drôle de forme écrasée, rien ne peut survivre, il n'y a plus de place. Mais c'est une peinture et Andreas fait ce qu'il veut avec ses peintures. Dans la réalité, ça survit. Bien sûr, c'était injuste que ce soit lui. Qu'aurait fait Laure de sa vie si c'était elle qui en avait réchappé? Mieux que lui? Peut-être. Sûrement.

Il touche la toile du bout des doigts : sèche. Un petit format, comme souvent. Adossé au mur à côté, encore humide, un tableau est commencé, qu'Andreas ne regarde pas. Il inspire profondément. Cogne de grands coups sur les boiseries, contre le mur, avant de regarder encore le petit tableau, il pense, avant de le cacher à jamais. La femme allongée méconnaissable parmi les lignes entassées là, des petits tas de couleur, des coulures, un être s'il en faut mais sans vie, sans lumière. Seulement ce dessin étrange et déchiré, c'est bien une femme il en est sûr, et le désir l'a pris en la peignant d'un trait sur la toile. Ce qui a pu éveiller l'envie dans ces traits fracassés, il ne sait pas ; peut-être ces os brisés, ce visage absent pourraient-ils aussi bien être la courbe d'un dos ou le dessin d'une joue, tant il est impossible de les identifier. Andreas contemple le tableau, balançant entre la mort et le désir. Mais il y a si longtemps que rien de vivant ne persiste en lui : son regard est définitivement destructeur, et ce sera la mort. Lui qui ne croit qu'à l'anéantissement inéluctable des êtres et des choses, de chair ou de métal, unis dans une même douleur. Pour garder une trace de cette course vers une impossible rédemption, il inscrit toujours la même chose au dos de ses toiles. L'année et un numéro ; sur celui-ci il lit, *2011 – Accident339*. Il se souvient encore du premier, il y a presque neuf ans ; puis de quelques-uns particulièrement violents, Accident17. Accident124. Sa vie. Son accident, sa femme. Toute la souffrance est de son côté. Trois cent trente-neuf tableaux sur le même thème. Trois cent trente-neuf tableaux rouges.

Sur celui qu'Andreas n'a pas fini, des coulures descendent jusqu'au sol, qu'il a protégé avec un carton. La couleur fait des taches, des sillons, des points. Des flaques de sang.

Méthodiquement, il attrape les éprouvettes l'une après l'autre, y plonge une seringue, un pinceau, une brosse, et projette sur la toile qui pisse le rouge, essuie à la main, à l'éponge, trace, tamponne. Souvent il se recule, d'un pas ou deux, regarde en plissant les yeux, revient. Repart, tourne le dos, les mains dans les poches, les yeux rivés au plafond, perdu dans une drôle de pensée, il oublie le tableau jusqu'à ce qu'il le voie à nouveau en déambulant dans la pièce. Alors il se précipite pour ajouter une courbe ou un trait. Au creux de son bras, le pansement finit par le gêner, il l'arrache ; un hématome se dessine en dessous.

La toile en cours est chaotique, indéchiffrable. Des traits en biais et des cercles ovales, des lignes rompues comme des fils. Un enchevêtrement frénétique, et derrière la confusion le vomissement crève les yeux, le flux affolé sort du tableau en criant de colère. Andreas regarde en frissonnant le rouge qui court sur le mur et mouille le sol, tend une main pour le toucher, le goûte du bout des lèvres et réprime une grimace. Ce sang qu'il se sort des veines jour après jour, année après année. La dernière chose qu'il ait connue de Laure jusqu'au fond de sa gorge et de ses yeux, la tentative désespérée de l'épingler sur les tableaux qu'il accumule, tous rouges – oui, il en a peint des centaines, avec le même sentiment d'égorgement, la même couleur, le même accident.

Andreas peint au sang. Le sien. Le leur.

La chambre, la pièce en face sont emplies de Laure, pour ne jamais l'oublier.

Depuis une semaine, Laure s'appelle Camille dans sa tête malade.

*

Octave ramasse la petite toile posée au bord du couloir sans regarder la porte d'Andreas, fermée comme toujours. Il a répondu aux coups dans les murs, qu'il connaît par cœur. Au début ça ne lui faisait rien d'aller ranger les tableaux terminés dans la pièce d'en face. Année après année, cela lui est devenu pénible, parce qu'il ne peut pas s'empêcher de les regarder.

Toujours cette angoisse en les observant, qu'Andreas lui impose simplement parce qu'il ne veut pas traverser le couloir. Pourtant Octave a suffisamment payé lui aussi pour l'accident. Il y a laissé son corps plus qu'Andreas; il ne conduisait même pas. Non, il n'est pas en reste, sa part, il l'a assumée. Pourquoi continue-t-il à obéir aux injonctions d'Andreas, il ne sait pas. Par lâcheté. La peur, bien sûr.

Sur les moulures horizontales de la porte devant laquelle il se tient, de la poussière. Il passe un doigt dessus. Dieu qu'il préférerait ne pas la rouvrir cette porte, chaque fois. La serrure glisse sans accrocher. L'odeur, âcre, écœurante, se précipite à l'extérieur et il referme brutalement. L'air est confiné, saturé d'aigreur. Normal. Il faudrait ouvrir la fenêtre à l'espagnolette mais, la dernière fois, Octave l'a oubliée pendant des mois et les pluies d'orage ont suinté par les persiennes. Il a dû jeter une dizaine de toiles. Ce n'était pas très important bien sûr, mais il a détesté faire ça. Le cacher à Andreas malgré ses questions insidieuses : *Pas de problèmes du côté des peintures ? — Et pourquoi*, avait répondu Octave, *tu prépares une expo ?* Avec beaucoup d'hésitation il rouvre la porte, la poussant de loin, comme s'il craignait qu'un être tapi derrière ne se précipite sur lui. Le grincement lui donne des frissons. Ils sont toujours là, bien sûr.

Les tableaux sont adossés aux murs. L'accumulation est oppressante, des toiles par centaines. Et la négligence : certaines d'entre elles ont glissé par terre et personne ne les a ramassées, les laissant offertes à la poussière et à l'usure. Octave en pousse une du bout du pied pour se frayer un passage jusqu'au fond de la pièce, en tasse d'autres avec la canne, d'un petit coup sec. Il promène un regard désespéré sur les entassements autour de lui. Certaines toiles ont été crevées par des cadres jetés au hasard les uns sur les autres. Il en prend une, retient son souffle. Il avait dit qu'il rangerait. Mais il aurait fallu examiner les tableaux, trier, brûler. Faire des choix sans Andreas qui préférerait crever plutôt qu'en jeter un. Tout ça pour en empiler de nouveaux que personne ne regarde jamais.

Andreas et ses certitudes. La peinture guérisseuse, rebouteuse, cathartique. Une illusion parfaite. Mais il y croit avec rage, justifiant par ce faux apaisement l'acharnement qu'il met à cracher ces tableaux comme s'ils lui sortaient directement du corps. *Je vis, Octave, enfin je vis !* Et Octave recule quand la voix et les bras d'Andreas embrassent les murs, s'enroulent par les fenêtres, saturent la place. Il reflue telle une toute petite marée mise en déroute par un barrage de sable. S'efface derrière le piège. Là où Andreas voit la guérison, il devine l'addiction. Il n'y peut rien. Il se tait.

Il pose la toile sur une pile et sort d'un pas rapide, sans se retourner. Verrouille la porte, se concentre pour vérifier que la clé glisse dans sa poche ; abaisse la poignée pour s'assurer que la serrure est bien bloquée, à en faire trembler le chambranle en appuyant les deux mains. Comme s'il avait oublié qu'il venait de fermer, et qu'il lui faille ouvrir à tout prix maintenant. Il secoue la porte, qui gémit sous la poussée, la clenche hoquette. Il n'a pas entendu le bruit au bout du couloir : c'est un étrange pressentiment qui lui fait lever la tête soudain, regarder sur sa gauche.

Camille le dévisage en silence.

Il sursaute, lui fait face aussitôt.

— Merde, qu'est-ce que tu fous là ?

180

La brutalité de la question la prend de court, peut-être qu'elle ne s'attendait pas à cela, pas de la part d'Octave, qu'elle ne pensait pas rencontrer là, dans l'aile d'Andreas. La mauvaise excuse construite un peu plus tôt lui échappe. Esprit vide. Elle ouvre la bouche en bégayant.

— Andreas est là ?

— Quoi ?

— Je voulais parler à Andreas…

Octave rugit :

— Quoi ? Mais tu te prends pour qui ? Tu ne sais pas que personne ne rentre dans cette maison ? Tu vas où, là ? Tu n'as pas entendu ce que je t'ai dit hier ?

— Je suis désolée, murmure-t-elle.

— Désolée ? Il faut que je te l'explique comment, sale petite fouineuse ?

Cette fois Camille prend peur : elle s'est rendu compte qu'Octave n'est pas dans son état normal. Parce qu'il protège Andreas ? Qu'il en a lui-même une peur incontrôlable ? Elle recule. *Je m'en vais*. Mais avant qu'elle ait pu rebrousser chemin, la main d'Octave s'abat sur la sienne, la tire à lui violemment. Déséquilibrée, Camille pousse un cri en voyant le visage sombre tout contre le sien, arrache sa main aux ongles enfoncés dans sa chair et qui laissent de longues traces de griffure. Elle détale sans demander son reste, paniquée d'imaginer Octave derrière elle, à peine rassurée de le savoir boiteux et s'enfuyant sous son rire trop fort qui l'accompagne, son cri accroché à elle :

— Cours cours cours…

Ah, ça commence à sentir bon la fin, a dit Madeleine –
et les autres ont levé les bras au ciel en criant de joie.
Lubin a du mal à les tenir comme chaque année, comme
une classe de mômes la dernière semaine d'école,
indisciplinée et bruyante.

— On ne finira que demain ! aboie-t-il avec cette voix
de stentor qui fait bruisser les feuilles – et il gueule un
coup en voyant les grappes de raisin que ces abrutis se
lancent d'un rang à l'autre avec des rires idiots.

— Demain seulement, en attendant il reste des
caisses à remplir ! Au travail, tous !

Ça se replie dans les vignes et les épaules se
courbent, pas longtemps, le temps qu'il tourne le dos,
il sait que jamais ils n'oseront envoyer une grappe sur
lui mais entre eux, les minutes, les heures qui tournent
et les grains qui se perdent, et tant pis s'il y en a trop ce
n'est pas une excuse, à ce train-là on n'est même plus
certains de finir demain soir, il ne les lâchera pas.

— Henri, Paul, les sécateurs sont pas en grève, eux !

Un peu plus loin, Camille s'essuie le visage, rouge du
raisin qu'on lui a lancé. Aux vieilles, Lubin ne dit rien ;
elles connaissent les limites. Quand on peut brailler et
plaisanter, et quand il faut s'y remettre. C'est Madeleine
qui leur enjoint la première de continuer à couper.

— Je reviens pas samedi, les jeunes, y a intérêt à ce que ça soit fini demain, j'ai du ménage à faire !

— Tu viendras danser le tango avec moi demain soir ? demande Henri.

— Tu ferais mieux de t'occuper de ta femme, galopin ! Mais qu'est-ce qu'ils ont cette année les gamins ?

Ça appelle pour vider les paniers, les caisses sont pleines, Camille court dans les rangs. Au fond d'elle cette drôle de boule. Le temps ne passe pas et l'après-midi s'étire, terriblement lent. Les pauses s'allongent, et pourtant l'impatience de finir les tenaille tous ; mais l'énergie les déserte.

— Finir demain une heure plus tôt, à quoi bon ? a soupiré Pascale. De toute façon on y est. Autant terminer tranquillement…

Camille a sursauté quand son téléphone a vibré dans sa poche. Pauvre espoir : une amie qui lui donnait des nouvelles de ses vacances. Elle a supprimé le message sans le lire. Sous son tee-shirt ça bouillonne : le travail et l'effort, la peur, la colère. Le souvenir d'Octave sur le seuil de la maison lorsqu'elle a sauté dans le camion ce matin, de son regard ravagé. Et puis il a aperçu Georges qui venait à sa rencontre. En quelques secondes son visage s'est recomposé, lisse et froid, a effacé les traits tordus. Camille est restée pétrifiée par la métamorphose. Cette sorte de bête a repris forme, a calmé la drôle de lueur dans ses yeux. Pour rien au monde elle ne voudrait le croiser à nouveau. Pour la première fois, l'idée de quitter cet endroit le lendemain, le plus vite possible, la saisit. Partir, et appeler sa mère. La faire revenir. Tant pis pour la distance. Cela fait trois jours qu'elle n'a pas de nouvelles de Malo – elle aurait dû la prévenir plus tôt, ne pas attendre, même si cette attente incarnait son espoir que tout se résolve simplement. Elle s'imagine au téléphone. *C'est moi on est aux vendanges, tu sais, et Malo a disparu, voilà, depuis trois jours. Oui, je sais, j'aurais dû t'appeler avant. On pensait que c'était un coup de tête, tu sais comment il est... mais il n'est pas revenu et je commence à m'inquiéter.* Je « commence »... Camille crache un pauvre sourire, frotte son poing sur son ventre pour oublier la douleur acide. Le portable dans la main. Ne plus être seule à porter cette histoire. Elle compose le numéro, fébrile, attend la connexion. Longue. Le déclic – elle ouvre la bouche pour parler, vite, comme si le temps pressait dorénavant. Mais c'est le répondeur qui se met en route.

La déception inonde Camille, l'arrête au milieu d'un rang de vigne. Un calcul rapide sur le décalage horaire. Non, il doit être neuf ou dix heures du matin là-bas, une heure normale – et sa mère ne répond pas. D'un geste furtif elle essuie les larmes au bord de ses yeux. Seule, toujours seule. Elle raccroche sans avoir laissé de message. Elle rappellera plus tard, quand elle sera capable de maîtriser sa voix tremblante, quand elle sera certaine de ne pas éclater en sanglots aux premiers mots du message. Elle imagine sa mère affolée. Tout bas, elle murmure : *Malo, t'es où, t'es où ? Non, ce n'est pas possible...*

*

Ce n'est pas possible. C'est ce qu'Octave chuchote de son côté en voyant le grand cheval étendu par terre, en se disant qu'il le sentait venir depuis des jours, à le surveiller sans en avoir l'air, à le regarder avec cette drôle d'angoisse au fond de la gorge. Malgré sa jambe il s'est agenouillé à côté de Moloch. Les yeux noirs, à demi fermés, le regardent. Le cheval l'écoute. Et Octave lui parle.

Longtemps il reste penché à son oreille, caressant les naseaux qui se dilatent et se rétractent en laissant entendre un souffle profond et épuisé. Longtemps, la voix basse d'Octave lui raconte quelque chose que Lubin revenu ne comprend pas, figé à quelques pas d'eux, les mains croisées devant lui comme au cours d'un enterrement. Une ou deux fois le cheval soulève sa lourde tête, la tourne vers Octave. La laisse retomber avec un long soupir. Il y a une communion étrange et poignante entre cet homme solitaire qui n'aime personne et la bête immense que toute force déserte. Octave appréhendait les dégâts de l'arthrose ; mais c'est le cœur qui fait défaut à Moloch et qui l'étend ce soir sur l'herbe de la prairie.

— Au fond, c'est peut-être mieux. Ça ira plus vite, murmure-t-il.

Il pose ses yeux délavés sur Lubin, comme pour y trouver une confirmation qui ne vient pas. Déçu, il passe une main rassurante sur l'encolure du cheval en recommençant à lui parler. Le chuchotement les enveloppe, Lubin et le cheval – Lubin aussi ferme un peu les yeux, il y a ce malaise et en même temps une torpeur presque agréable, anesthésiante. La voix d'Octave n'est plus qu'un son, une mélopée. Quand la voiture du vétérinaire vient se garer tout à côté d'eux, Octave ne s'arrête pas, comme s'il pouvait repousser l'issue fatale. Sa voix s'étrangle. C'est Lubin qui hoche la tête et salue le vétérinaire lorsque celui-ci s'approche et s'agenouille à son tour, un stéthoscope à la main.

Le grand silence. Même Moloch respire moins fort. C'est long et beaucoup trop court en même temps.

Le vétérinaire pose ses mains derrière la joue, écoute le rythme du cœur, regarde l'œil. Réécoute une minute, peut-être plus. Il pose ses instruments sur les genoux en secouant la tête.

Il dit doucement :

— Qu'il est fatigué, ce vieux cheval.

*

Le soleil descend derrière le pré et dessine le contour immobile du corps de Moloch, éclairant la crinière indisciplinée dans une clarté aveuglante. On dirait un être surnaturel, un être de lumière. Lubin s'attend presque à ce que le cheval s'élève dans les airs, happé par une chanson céleste. Au bout de l'horizon, des nuages d'un gris dangereux se regroupent et roulent sur eux-mêmes.

Octave est debout à regarder le cheval, les cernes creusés sur son visage, les traits tirés. On pourrait le croire épuisé, mais c'est un chagrin immense qui suinte et qu'il essaie de cacher. Cela fait presque une heure que le vétérinaire est parti. Peut-être Octave espère-t-il que Moloch va renaître. Se lever. Et marcher.

Chronos et Titan broutent juste à côté d'eux. Le contraste est étourdissant. Leur nonchalance indécente, ou exemplaire. Ce corps mort leur suffit. Ou alors il n'y a pas de mort. Ou alors il n'y a pas d'attachement. Octave les observe quand ils viennent le renifler entre deux trèfles arrachés, leur regard doux et absent, dénué d'inquiétude. Il voudrait que les percherons soient en peine eux aussi. Il voudrait ne pas être le seul à souffrir. Leur attitude paisible le bouleverse presque autant que la mort de Moloch. En son for intérieur, il les hait à ce moment-là.

186

Là où nous finirons tous, pense Octave en regardant le ciel, qui brille d'un soleil écœurant, tellement injuste. Il fait à nouveau chaud. Le temps s'est remis trop vite après la pluie pour que cela dure.

La main de Lubin sur son épaule, hésitante. Faut-il qu'il s'inquiète.

— Est-ce que ça va.

Toujours cette façon reposante de ne pas exiger de réponse. Non, ça ne va pas. Octave aurait préféré que n'importe lequel des vendangeurs, et peut-être même Georges ou Lubin, y reste plutôt que son cheval. Seulement ça ne marche pas comme ça, la vie ; les échanges, ça n'existe pas. Maintenant c'est fini. Il hausse les épaules et ravale sa colère.

— Appelle l'équarrisseur, murmure-t-il. Qu'il vienne demain sans faute.

*

Les filles ont mis une main devant la bouche pour ne pas crier en rentrant après le travail, les gars se sont tus. Personne ne s'est approché du grand corps gris protégé par Octave. Ils se sont servi à boire comme d'habitude ; le cœur n'y était pas, mais Lubin leur a ordonné de le faire. *Pourquoi vous boiriez pas*, a-t-il grogné. Au bout de quelques minutes, Octave les a rejoints. Il a murmuré : *C'est la vie. Il n'y a rien à dire.*

Sous son regard brûlant ils mangent quelques biscuits. Henri allume une cigarette, en propose aux autres. Pour ne rien dire, ils ne disent rien, comme s'ils avaient peur qu'Octave explose d'un coup, que la mort les irradie eux aussi. Et même son air soupçonneux ne leur délie pas la langue. Il faut que Lubin se mette à raconter comment le gars de chez Hubert s'est fait couper le doigt ce matin dans une machine pour qu'ils s'attroupent autour de lui, avides de la diversion, reprenant pied dans un monde étrangement léger.

Un peu à part, Camille fume cigarette sur cigarette, les écrasant l'une après l'autre à côté d'elle. Les mégots sont rangés en ligne à ses pieds comme des petits soldats sages. Octave s'approche d'elle sans un bruit. Il surveille jusqu'au glissement de l'air. Penché vers elle, il s'immobilise à quelques centimètres, cherchant à forcer le rideau de ses paupières baissées, découvrant une petite tache de peau qu'elle a au coin du nez. Au même moment, Camille rouvre les yeux. Elle bondit en arrière de surprise et il lève une main.

— Je suis désolé. Je ne voulais pas te faire peur, dit-il à voix basse.

Il a un pincement au cœur devant son geste effrayé, il aurait aimé qu'elle ne le fasse pas. Une sorte d'humiliation stupide, un frisson de honte vient lui courir dans le dos. Camille proteste en fronçant les sourcils :

— Ça n'a rien à voir.

— Non, se moque-t-il, bien sûr.

Elle le regarde avec précaution, rougit presque sous son attention. Pour un peu elle s'excuserait d'être entrée dans l'aile interdite, ce serait si simple, tout effacer et revenir douze heures en arrière, oublier l'erreur, oublier Malo. Dire qu'elle s'est trompée ? Qu'elle ne voulait pas venir dans cette maison, qu'elle n'y a rien vu et que tout va bien ? Dans sa tête une petite voix s'insurge, bataillant ferme : Octave est bien le monstre qu'elle a aperçu tout à l'heure, qui se décompose et se recompose, s'anéantit et se relève. Celui dont seul le mal peut sortir. Elle le sait, elle le sent ; et si elle l'avait oublié, les griffures sur sa main sont là pour le lui rappeler, quand elle passe les doigts dessus. Octave suit son regard et baisse la tête.

— Je suis désolé pour ce matin, murmure-t-il.

Camille se mord les lèvres, prise de court.

— Non, c'est moi… Je n'aurais pas dû…

Au fond la tentation de s'enfuir est grande. Mais les yeux gris en face d'elle sont neutres et souriants, presque consolants ; elle s'y accroche d'un coup, déroutée et reconnaissante. Le téléphone vibre contre sa cuisse – elle jette un œil rapide. *Votre facture est disponible sur orange.fr.* Encore une fois la déception l'irradie. Elle a fini par laisser un message à sa mère ; celle-ci n'a toujours pas rappelé. Hors réseau ? En réunion jusqu'au soir ? Le temps est long, trop long. Comme un sentiment d'urgence.

— Tu as des nouvelles ? demande Octave qui ne l'a pas quittée des yeux.

— Non.

Une larme qui roule sur sa joue. Elle s'en veut de ne pas pouvoir la retenir.

— Hé, murmure-t-il.

Elle baisse un peu plus la tête et Octave met une main sur sa joue – même pas une main, un doigt, à peine posé, un effleurement, une main ce serait trop dangereux. Il pensait qu'elle s'esquiverait mais elle appuie sa tête sur ce doigt et il se sent pâlir, le souffle suspendu. Tout son corps est dressé dans un geste de défense, le supplie de s'éloigner, des cris d'alerte fusent comme des sirènes d'alarme dans sa tête ; d'un coup il revoit le tableau de bord de la Mercedes et les voyants rouges clignotant comme des fous. Il essuie la larme du bout du doigt, recule très vite. Il dit à voix basse :

— C'est la pluie, Camille.

Il entend son tout petit rire étranglé.

— Oui, c'est la pluie. Même quand il ne pleut plus.

— Ça va aller, tu sais.

Sur la terrasse, les autres les regardent en douce.

Octave se tient là au milieu de la nuit, au milieu du couloir – désert comme toujours à ces heures improbables. Le front contre le mur, les mains descendant lentement le long de la porte, il respire sans bruit, presque en apnée. Deuxième porte à droite après le passage secret. Il ne se pardonne pas d'avoir cédé. D'être venu essayer d'écouter. Ils ne lui font même pas envie, elle n'est pas jolie ; seulement ça le taraude. Ça le dévore. L'abstinence forcée des hommes dont personne ne veut le rend fou.

Alors là, appuyé en silence contre le chambranle, bien sûr il se sent minable. Tout ça est déplacé, indigne. Bien sûr aussi que ce n'est pas sa faute, ça le console un peu, mais sa faute à elle, cette fille qui l'obsède et l'empoisonne de jour en jour – mais le jour est une donnée trop vaste, d'heure en heure, voilà le timing exact, et chacune de ces heures l'accable et aggrave le malaise dans sa tête, l'exaspération, ses yeux injectés. *Camille.* Il avance vers elle à marche forcée, elle s'esquive comme une ombre. Est-ce que cela excuse qu'il rase les murs en pleine nuit comme un sale petit voyeur, il n'en est pas certain. C'est juste que l'élan le pousse, et qu'il ne résiste pas. C'est pour ça qu'il est là, humilié et rageur ; pour ça que, d'un coup, l'idée de la scène probable derrière la porte balaye ses hésitations.

Mais il n'y a pas un bruit, pas un froissement à l'intérieur du dortoir. Il tend l'oreille en vain. Dernière chance : qu'ils se soient isolés dans une autre chambre. Sûrement. Pourquoi est-ce qu'il n'y a pas pensé avant – pourvu qu'il n'ait pas manqué cela. Alors il continue un peu plus loin dans le couloir, s'immobilise soudain. Là. Ils sont là. Il les entend sans peine. Une sorte de joie étrange, violente et insensée, lui coupe le souffle. Il sent un frisson lui parcourir le corps entier. Le son animal du désir, juste derrière la porte. Avec une jubilation profonde, il pense : *Oui.*

Quand il était gamin, il lui arrivait d'aller écouter comme ça la nuit, les fois où les parents baisaient. À l'époque il n'aurait jamais dit ça de cette façon et il ne savait même pas ce qui se passait derrière la porte ; accroupi dans l'obscurité, il avait appris par cœur ces bruits qui étaient toujours les mêmes, qui l'avaient effrayé au départ, sur lesquels il échafaudait des dizaines d'hypothèses plus ou moins réalistes. Avant même de savoir ce qu'était le sexe, il avait compris que quelque chose se jouait de ce côté-là. Un peu plus tard, à dix ou douze ans, éclairé par les explications de camarades d'école et quelques photos dans un magazine, il retenait sa respiration en essayant de mettre des images sur les sons qui venaient jusqu'à lui. Parfois il gloussait en silence. Une sorte de fièvre indéfinissable l'agitait longtemps après qu'il avait regagné sa chambre.

Octave n'a pas envie de rire ce soir, il a passé l'âge. Celui d'écouter aux portes aussi. Mais comme sa mère disait de la télévision : on tombe dessus, l'image vous happe, on s'assied et on ne la lâche plus.

Là c'est pareil. On passe dans un couloir, des bruits étouffés vous interrogent, on veut en être. C'est ainsi qu'Octave reste devant la porte, attentif, il ne saurait dire combien de temps. Il se repaît des souffles qu'il perçoit dans la chambre, inspirant par à-coups. Paul et Julie. Il a bien vu leurs mains se frôler tout à l'heure, les regards équivoques, en manque de chair. Cela puait le désir entre eux. Au début le dégoût l'a pris en sentant ce qui se préparait et dont il serait exclu, comme chaque fois, comme s'il n'avait plus le droit à rien et qu'aucune femme ne veuille jamais plus s'allonger sous lui – pourquoi ? Pourquoi jamais lui ? Qu'on éteigne la lumière si sa gueule balafrée leur fait peur ! L'excitation lui a irradié le corps, balayant sa répugnance. C'est là qu'il les a suivis. Qu'il a refermé la porte de sa chambre derrière lui avant de la rouvrir sans un bruit pour arpenter le couloir, une demi-heure plus tard.

Il essaie de mettre des images sur Paul chevauchant Julie, sur leurs corps nus agités, les mouvements de va-et-vient qui l'ont tant échauffé. La voix feutrée de Julie lui revient en boucle, ses petits cris, ses encouragements. Les ahanements de Paul. Qu'est-ce qu'il a dû lui mettre ; si seulement il avait pu voir. Il secoue la tête. *Arrête.*

Un effort douloureux pour s'éloigner de la porte. Quelques pas, il ne se résout pas à regagner sa chambre pour se finir tout seul, et pourtant il va bien falloir en passer par là, parce que la tension ne décroît pas et qu'il ne peut pas rester la fin de la nuit comme ça, cette douleur trop chaude doit cesser à présent. Aucune femme ne poussera de cris en l'accueillant entre ses cuisses, il est habitué aux solutions parallèles. Mais il y trouve quelque chose de profondément injuste. Et puis voilà : il se rend compte en effleurant la porte que Camille dort juste à côté.

Une fulgurance. *Camille.* Un poison.

Il se souvient du souffle d'Andreas juste derrière lui, la première nuit qu'il y est allé. Non, il ne peut pas. Tout au plus se laisser le droit de l'imaginer à moitié nue, endormie sur le lit. Entièrement nue, peut-être ; mais il n'y arrive pas. Trop timide, ou trop affolé. Et pourtant il meurt d'envie d'aller s'allonger sur le lit à côté d'elle, pour voir. Elle s'en rendra compte bien entendu, et il mettra une main sur sa bouche pour l'empêcher de crier. Une prière à son oreille : *Ne réveille pas les autres.* Pour bloquer ses mouvements il pèsera sur elle, lui menottant les poignets entre ses mains, regardant courir les veines là où la peau est si fine. Une jambe glissée entre les siennes pour qu'elle arrête de se débattre. S'appuyer lourdement sur elle, jusqu'à ce qu'elle s'apaise ; il entend son souffle saccadé comme s'il y était. Une nouvelle émotion le gagne, physique, sensuelle. La tentation l'excède.

Octave soupire sans un bruit. Qu'il quitte ce couloir. Qu'il aille prendre une douche froide. Mais sa main est posée sur la poignée de la porte. Il ne sait pas de quoi cette main est capable : de forcer, de s'enfuir, d'arracher un vêtement. Il secoue la tête pour essayer d'échapper aux pensées et aux images affolantes qui lui viennent. S'il entre. S'il la saisit à bras-le-corps, la tire au-dehors avant même que les autres s'éveillent. L'entraîne jusqu'à sa chambre et la dévore. *Putain. Tu délires, arrête. Ce n'est pas comme ça que tu vas te calmer.* La sueur lui glisse jusqu'au bas du dos. Il se dit qu'il va faire une erreur. D'accord. Il appuie sa main.

Sait qu'il a tort : il se le répète. La poignée du dortoir s'abaisse sans un grincement.

Mais la porte ne s'ouvre pas.

Octave s'immobilise une fraction de seconde, la main toujours sur la poignée. Il donne une petite poussée inutile. Réessaye encore une fois, sans conviction, déjà certain de la réponse.

La porte est fermée à clé. *Elles ont fermé la porte à clé.*

Elles ont deviné.

Ou pas ?

Octave recule, les yeux écarquillés, obnubilé par la porte verrouillée dont il s'éloigne pas à pas. Il a lâché la poignée et garde la main grande ouverte, les doigts écartés comme s'ils le brûlaient. Il trébuche contre un pot en grès qu'il n'a pas vu derrière lui, et qui fait un bruit sourd en cognant le mur. La canne racle contre la poterie. Quand il arrive au coin du couloir, il fait demi-tour et s'enfuit.

Dans l'obscurité rongée et nerveuse, Andreas balafre des toiles entières. Trop de matière. Il faut qu'il écoule. Comme un forcené il badigeonne les tableaux, les enchaînant jusqu'à tomber d'épuisement, jusqu'à laisser le pinceau glisser tout seul tandis qu'il s'endort contre les cadres en bois – jusqu'à s'allonger là à côté d'eux, à même le sol, pour quelques heures de sommeil morcelé et un réveil épouvantable, les protestations de son corps meurtri, le sentiment de vacuité sans fin. Dans les cylindres en verre, la couleur oxydée, séchée. Bonne à jeter. Sur le carnet près de lui, un seul mot tout en bas de la page ouverte : *Camille*. Obnubilé, possédé par cette créature aux cheveux blancs, il se sait au bord de l'abîme. Puis oublie. Retrouve un éclair de conscience au rythme des piqûres qui s'accélère, à l'oppression qui le gagne d'heure en heure, au faux pas tout proche et qu'il sent venir sans pouvoir réagir.

La grande toile est adossée au mur dans la nuit, dégoulinante. Un drôle de sentiment traverse Andreas. *Peut-être la dernière.* Mais que faudrait-il pour que cette blessure se referme enfin, cette blessure qu'il entretient au creux de ses bras et qui reste le seul sens de sa vie ? Il ne veut surtout pas s'en défaire. Conserver cette plaie lui est essentiel ; presque chaque jour il se pique dans l'urgence, serrant le garrot en le tirant entre les dents, il connaît le geste par cœur, la bouteille de whisky est posée à côté de lui, sur son bras les veines saillent. Sa façon de garder Laure vivante. Rouvrir la blessure pour être certain de ne jamais l'oublier, même si son visage s'estompe et qu'il doit regarder sa photo chaque jour pour se rappeler. Un hommage douloureux, absurde. Continuer à souffrir. Il est d'accord. Il a construit la nécessité de cette souffrance. Ça le prend d'un coup et il s'attrape le bras en serrant convulsivement, convaincu que la peau est prête à éclater, à dégueuler ce sang noir qu'il jette sur les tableaux. D'année en année, Laure est ainsi exposée, empilée dans l'obscurité qu'Andreas meuble en grinçant, les bras bleuis qu'il cache sous les manches de ses chemises, les mains rongées par le sang et l'acétone avec lequel il se nettoie jusque sous les ongles en tremblant.

Parfois *cela* se calme en lui. Mais depuis l'arrivée de cette autre fille, ce double, cette jumelle effrayante, il lui semble qu'une force a brisé ses liens au fond de ses tripes, incontrôlable. *Et si Laure revenait se venger ?* Le visage défait, Andreas balaie du regard l'obscurité autour de lui. Dans sa tête, ça claque comme des coups de fouet et un vertige le déséquilibre, il pose ses mains sur le mur. Le mur, ou une cloison glacée. Les parois de la voiture le jour de l'accident. Cette fois la limite lui échappe. Cette fois la maladie a gagné. Ou alors ils ont décidé de le rendre fou. Pour de bon. Tous ligués contre lui.

— C'est impossible, chuchote-t-il.

Il s'avance, regarde par la fenêtre. Dit dans un murmure : *Tu as vu ? Il s'est remis à pleuvoir.* Sur le toit il entend tomber les gouttes épaisses. Des odeurs d'herbe trempée flottent jusqu'à lui, des parfums mouillés de terre et d'humus qui n'existent qu'à la campagne ; en ville le macadam les absorbe. Andreas écoute le crépitement de la pluie comme si elle lui tombait sur les épaules. Sa tête est cramée.

— Dieu, murmure-t-il. Je crois que je deviens fou.

*

Ils contemplent tous les deux l'aube qui se prépare. L'aube du huitième jour des vendanges. Ils savent que ce soir c'est fini.

Octave frissonne. Andreas s'aventure jusqu'à lui, de plus en plus souvent, de plus en plus loin. Jusqu'à la terrasse. Là où jamais il ne serait venu, avant. Là où Octave ne peut plus rien empêcher. Cela fait deux heures qu'ils sont assis face à face et il sent le froid sous sa chemise légère ; la nuit le rattrape, lui saisit les bras – il les croise autour de sa poitrine pour se réchauffer. Il ne manque pas grand-chose, il faudrait qu'il se lève, qu'il monte l'escalier pour regagner sa chambre. Qu'il se force à laisser Andreas seul en arrêtant d'avoir peur de ce qui se passera alors. Seulement il paie le trop d'alcool qu'il ingurgite depuis le début de la nuit. La conscience aiguë de son incapacité à tenir debout et à s'appuyer sur la canne l'empale sur la chaise inconfortable. Il finira bien par se résoudre à rentrer, à admettre qu'il tombera forcément. La dernière fois il s'est fait mal. Une vilaine coupure à la tempe en heurtant l'angle d'un meuble, un hématome au flanc. En soi rien de grave ; mais depuis plusieurs jours il prend de l'aspirine, la tête lacérée par les migraines, et il marque fort aux chocs. Une sorte d'appréhension le maintient assis, et pourtant son dos, ses jambes, tout crie grâce après ces trop longues heures d'immobilité. Sans doute qu'il vieillit, comme le dit Andreas.

Il regarde ses mains, grandes, fortes. Un peu abîmées, la peau craquelée comme si elles avaient passé trop de temps au soleil. On pourrait croire qu'il a beaucoup travaillé quand on voit les stries qui les marquent. Sur la main gauche deux petites taches de rousseur sont apparues cet hiver. Des fleurs de cimetière. Ça a fait rire Andreas la première fois qu'il les a vues.

Andreas qui dit : *Comment on peut en arriver là, toi et moi ?* Octave fait semblant de ne pas comprendre.

— Arrête, gronde Andreas sans le regarder.

— Y a rien, se rend Octave.

— Je vais te dire ce qui se passe. Elle sera jamais à toi, d'accord ?

— Il n'en a jamais été question.

— Ce que tu mens mal.

— Pourquoi elle ne serait pas à moi ? Si elle veut.

— Mais elle ne veut pas, mon vieux.

Octave hausse les épaules, mi-agacé mi-embarrassé.

— Je suis pas sûr.

— Bien sûr que tu le sais. Tu te berces d'illusions, c'est tout. Tu en rêves depuis si longtemps. Seulement…

Il s'interrompt et Octave lève les yeux sur lui, attendant la fin de la phrase malgré lui.

— Seulement ce n'est pas possible. Elle veut juste retrouver son frère.

— On ne peut pas lui en vouloir pour ça.

— Elle ne le retrouvera pas. Elle va juste foutre la merde entre nous.

— Là non plus je ne suis pas sûr.

— Elle le retrouvera pas, tu m'entends ? Et tu la laisses aller trop loin.

— Je n'aime pas tes certitudes.

— Tu sais bien pourquoi. Tu sais qu'il est mort.

Octave pâlit d'un coup. *Quoi ?*

— Le petit con. Il est mort. Ne dis pas que tu ne le sais pas. Tu es passé juste devant. Tu y es retourné.

— Je te jure…

— Je m'en fous de tes affirmations. Tu le sais, et si tu ne le savais pas, eh bien c'est fait. Réfléchis maintenant que tu es mouillé. On marche ensemble, mon vieux. À la vie à la mort.

— Tu n'as pas fait ça ?

— Il m'emmerdait.

— On ne se débarrasse pas de quelqu'un juste parce qu'il vous emmerde !

— Je n'ai pas besoin d'une fausse excuse. Je veux que tu comprennes qu'il faut que la fille s'en aille. À force de fouiner, elle va nous faire de vrais problèmes.

Il se lève d'un coup, marche de long en large sur la terrasse, les mains enfoncées dans les poches. Pas très vite. Mais appliqué.

— Qu'est-ce que tu fais, bredouille Octave les mains sur le front, effondré.

— Il ne faut pas que je marche sur les joints.

— Qu'est-ce que tu dis ?

— Fous-moi la paix.

Octave ouvre des yeux ronds. S'affaisse en le regardant poser les pieds avec précaution, zigzaguant entre les carreaux de pierre. D'une certaine façon Andreas l'impressionne ; il vient de lui annoncer qu'il a tué un homme, et il joue à marcher entre les lignes. Et ce n'est pas le pire. Non, le plus grave, c'est qu'Andreas soit descendu si vite de l'aile sud, qu'il soit allé dans la forêt, qu'il ait sillonné ses territoires à lui, Octave. Là où il se croyait à l'abri. Là où il était hors de portée, libre et tout-puissant. Or Andreas ne sait pas s'arrêter. Ne s'arrêtera plus.

— Oh non, gémit-il.

Andreas allonge les bras devant lui en riant, poignets l'un sur l'autre, comme menotté.

— Baisé, il dit en le regardant.

Une solution. Un miracle. *Une gomme*, pour effacer les dernières semaines. Il peut toujours courir. Et Andreas qui ricane de plus en plus fort, dont la voix résonne au fond de sa poitrine, qui lui fait si peur qu'il faut qu'il pisse là tout de suite – il se lève à son tour, arrachant à son corps un cri plaintif, dans sa jambe ça claque. Il se retourne, essaie d'échapper au regard moqueur d'Andreas.

— Pas sur les lauriers, putain. Ça les fait jaunir. Bon, tu m'as compris cette fois ? Il n'y a qu'une solution et c'est que cette fille déguerpisse, vite. Sinon on est foutus – il dit plus bas : je sais ce qu'elle remue pour toi et moi, il faut que ça s'arrête, on ne peut pas recommencer la même histoire.

D'un coup, Octave fond en larmes. C'est plus fort que lui, ça déborde, ça lui sature les poumons et les yeux. Il ne voit plus rien que l'humiliation d'être là à pisser devant Andreas, il ne trouve même plus les boutons de son jean pour se rhabiller. Il essaie de se rappeler les traits du visage de Malo, n'y parvient pas – une horrible culpabilité lui vrille le ventre, peut-être qu'il aurait pu arrêter Andreas, si seulement il avait osé. Peut-être qu'il aurait pu sauver le gamin même s'il ne l'aimait pas ; au lieu de quoi il a oublié jusqu'à la couleur de ses cheveux. Bruns sans doute. Un beau petit gars, il ne se souvient que de ça, qui lui a jeté à la figure sa propre déchéance.

— Tu n'as jamais pensé que ça pourrait être sérieux entre Camille et moi? dit-il d'une voix rauque. Il y a quelque chose quand on se regarde, quand on se parle, je croyais que ça n'existait pas pour moi. C'est la première fois depuis dix ans que je me dis que la vie pourrait valoir le coup.

— Ah merde, râle Andreas. J'ai marché sur un joint. Tant pis, c'est pas grave.

Il relève la tête sur Octave qui l'observe, sidéré, enchaîne avec un petit rire :

— Peut-être mais je m'en fous. Le truc, c'est de savoir comment on s'en sort, le reste ne m'intéresse pas.

— Tu es devenu complètement dingue, murmure Octave.

Andreas pince les lèvres, vexé. Cette fois Octave repousse la chaise et le contemple, songeur, recroquevillé à l'intérieur. Il voudrait qu'une idée lui vienne pour régler cette horrible situation, fulgurante, et que tout s'apaise. Ou alors se fondre dans un trou minuscule et ne plus exister, que le monde l'oublie, qu'il finisse desséché dans son trou, réduit à quelques os du crâne et à des dents déchaussées ; seulement cela n'arrivera pas. Il faut faire face et aucune idée ne lui vient. Bien sûr qu'il pourrait laisser Andreas se débrouiller seul dans ce marasme, mais il n'a aucune illusion, il viendra le chercher, il l'engloutira avec lui s'il le faut. Cet accident les a brisés. Ils se mentent quand ils disent qu'ils en ont réchappé : c'est peut-être Laure qui s'en est sortie le mieux. Elle n'a laissé derrière elle que de la survivance aigrie et rongée de douleur.

Des dizaines de moustiques s'agitent autour de la loupiote. On n'entend qu'eux, et pourtant ça ne fait pas beaucoup de bruit un moustique, à moins de l'avoir collé à l'oreille. Andreas regarde le grouillement autour de l'ampoule, fait semblant de chasser un insecte près de lui. Il ne dit plus rien.

Octave échafaude des hypothèses invraisemblables pour s'enfuir avec Camille. À n'importe quel prix, même s'il devine que cela sera toujours au-delà de ce qu'il imagine. Même s'il sait d'avance que c'est foutu.

JOUR 8

Joli soleil frais sur les vignes, et Lubin grogne de plaisir en pensant à ce jour qui sera le dernier, à ces gueules de cons qu'il ne veut plus voir, hormis un ou deux et puis la petite, mais voilà, retrouver le calme des rangs déserts, le travail à deux Georges et lui, parfois les vieilles quand il faudra étiqueter, ça le rassérène. Il sait qu'ils doivent dégorger l'année 2009, une année superbe, ils feront un millésime comme presque partout, ça lui plaît. Ça lui grouille dans les doigts rien que d'y penser.

Cela faisait des jours qu'il n'avait pas respiré aussi fort, aussi tranquille. Maintenant la vendange est assurée, ils sont loin les soucis des orages possibles, de la grêle qui fait éclater et tomber le raisin, et le soleil a cogné ce qu'il fallait à l'été pour sucrer le grain. Pas comme 2001, qu'il a préféré oublier. Une année de merde, pas assez de réserves, un cru médiocre. De l'histoire ancienne. Tandis que cette année on va même en laisser sur les plants. Avec un peu de chance les piafs s'en chargeront, sinon il viendra les couper avec Georges plus tard, une drôle d'impression, coupe coupe et on ne ramasse pas, les rangs se tapissent de grappes flétries qui restent à même le sol jusqu'à ce qu'elles pourrissent. Mais en général les merles passent avant, on peut compter là-dessus. C'est bien la seule fois que ça le réconforte de les voir tourner autour, il a horreur du gâchis, plus encore que des plumeux. Quand il était plus jeune on étendait sur les vignes de longs filaments blancs comme du coton, qui empêchaient les oiseaux de plonger à l'intérieur ; souvent ils se prenaient dedans cependant, en cherchant une ouverture, s'emmêlaient et mouraient d'épuisement. Ça a été interdit depuis. On met des canons qui ne servent à rien, au bout de deux jours les piafs ont compris que ça pétait mais que ce n'était pas dangereux. De loin il fait signe à Georges.

— Retourne au pressoir ! Rapporte des caisses !

— Panier ! beugle la Grenouille du fond de son rang.

— Panier ! renchérit Madeleine avec sa voix criarde.

Georges hésite, mais Camille fait un geste et court jusqu'à elles. *Fallait pas bouger, jeunesse, c'était pour embêter le Portos qu'on disait ça, ils sont pas pleins nos paniers*, et elle fait mine de ronchonner, prend les paniers à moitié vides et les déverse quand même, elle entend le bruit mat des grappes tombant sur les autres dans la caisse, mord dans l'une d'elles au mépris des cris de Madeleine :

— T'as pas arrêté d'en bouffer de toute la semaine, mince, je voudrais pas être dans ta culotte !

— Mais moi j'veux bien, s'exclame Paul – et la Grenouille pousse un cri en s'étouffant de rire.

*

Camille regarde les vignes elle aussi, se force à rire avec les autres. Fait un bras d'honneur à Paul et ignore le regard méchant de Julie. D'heure en heure ils se rapprochent du déjeuner, s'égayent, oublient leurs jambes raides et leurs reins douloureux. Ils chantent déjà les vacances dans les rangs de vignes, à cinq heures on s'arrête on les aura eus, à sept heures on picole la digue du cul. Quatre domaines terminent les vendanges en même temps et les patrons ont loué le café pour leurs équipes. Officiellement c'est plus convivial de fêter la glane quand on est cinquante ou soixante ; officieusement, tout le monde préfère que la beuverie se fasse ailleurs que chez soi. Henri se souvient que les patrons offrent une bouteille de champagne pour quatre personnes, parfois pour trois. Après, c'est le bistrot qui fournit et on casque plein pot. On paie la tournée chacun son tour et ça n'en finit pas, et comme le champagne est trop cher on termine avec des mélanges de pastis et de mauvais porto.

Camille sent le nœud dans sa gorge, ce soir il faudra partir – dans la nuit sans doute, et Henri a dit à Charlotte qu'ils dormiraient à l'hôtel le plus proche, quelques kilomètres, ce sera plus raisonnable, à moins qu'ils ne s'écroulent dans la voiture ou à même le sol. Elle fera pareil. Malo est toujours introuvable. Des dizaines de fois par jour Camille croit que son téléphone vibre, le regarde, s'affaisse un peu plus sous l'amertume. À présent la messagerie est saturée, c'est sa faute, à force. Elle continue à appeler, juste pour entendre la voix de Malo, juste pour se faire mal. Elle s'est réveillée cette nuit les larmes aux yeux. Lutte en permanence entre l'optimisme affiché par les autres et la conviction que ce silence obstiné ne peut cacher qu'un drame. Sa mère n'a pas rappelé. Elle se demande même si elle a reçu le message.

Oui, elle partira. Mais, avant, elle fouillera la maison, parce que au fond d'elle quelque chose est convaincu d'y trouver une réponse, un signe, n'importe quoi, peut-être même Malo. Elle investira l'aile sud au mépris d'Andreas. Oui, parler à Andreas. Elle ne demande que cela. Il n'y a que lui qui puisse savoir.

*

Par la fenêtre du 4×4, planté plus loin dans les collines, Octave regarde Camille. Hier il lui a dit : *Demain c'est fini, alors.* Elle a souri et dans ce sourire il n'a vu qu'un mélange de peur et de soulagement, elle a murmuré : *Oui, enfin.* Ça lui a fait un pince-ment au cœur en entendant la voix étale comme la mer un jour sans vent. Pas d'émotion, pas de regret, rien qu'un constat froid et net. *La garce.* Il espérait tant d'elle. Pourtant la magie est là, à portée de main. Il la voit bien, lui. La même que lorsqu'il est venu au bord des vignes et qu'il l'a surprise ; la même que dans la cave.

Une main sur le front. Sueur. Bien sûr, il y a Malo. Depuis qu'Andreas a parlé, la pensée s'est logée insidieusement dans un coin de sa tête. *Tu le savais.* Oui, sans doute. Trop de signes. Mais c'était loin de lui, il s'en moquait, et Camille lui restait possible. Aujourd'hui c'est difficile de passer par-dessus. Difficile d'oublier. Il sait qu'il devrait faire quelque chose.

Mais ce n'est pas son histoire.

Les mains plaquées sur les oreilles, il répète en boucle : *Pas ma faute, pas ma faute…* À l'intérieur ça n'y croit pas. Une dissonance, un court-jus. Si bien sûr, tu y peux quelque chose. Tu pouvais. Mais c'était si facile, et si tentant, de fermer les yeux et de se boucher les oreilles. De laisser l'autre faire le sale boulot pour te dégager la route.

Un coup d'œil sur Camille qui descend une caisse au bas du rang. Il s'arrête juste à côté d'elle et baisse la vitre. Ne dit rien. Camille le regarde, forcément. Attend. Finit par s'agacer :

— Quoi ?

Octave descend de voiture et se plante en face d'elle, avec le plus de douceur possible, craignant de l'effrayer. Il faut que ça sorte. Dernière chance.

— Et si tu restais – et devant son air ébahi il ajoute très vite : *Un peu.*

Il se sent minable. Camille devant lui a ce regard incandescent. Elle se tait, et pourtant Octave l'entend aussi fort que si elle criait. Le mépris sur son visage. Il ne retrouve rien de la femme à laquelle il rêve depuis des jours, rien que des traits durs et fatigués, un instant il se dit que plus tard elle pourrait ressembler à Madeleine, les kilos en moins, un instant il regrette ce qu'il vient de murmurer, est à deux doigts de lui demander d'oublier. Elle joue avec le sécateur, toujours muette. Alors Octave se rembrunit, met les mains dans les poches pour se donner une contenance et baisse la tête. Camille hausse les épaules.

— C'est comme ça.

Et il n'y a rien de plus à dire. Ils restent face à face, tristes et silencieux, couvant une colère et des peurs si différentes. *Faut que j'y aille*, dit Camille. Mais elle ne bouge pas. Elle observe cet homme étrange en pensant qu'elle a peut-être commencé à l'aimer deux ou trois jours ; puis ça s'est arrêté. C'est mieux comme ça, il n'y avait rien à tirer de cette histoire. Elle s'en veut de l'envisager sans aménité. Le dos tordu par la boiterie, cette affreuse cicatrice. Du bon côté, le si beau regard. Complètement dingue.

*

Lorsque Octave pousse la porte d'Andreas en la fracassant contre le mur, livide, il dit : *Ça va mal.*

— Oui, ça va mal, acquiesce Andreas sans s'interrompre.

Il tient dans les mains l'un des tableaux les plus récents, un de ceux qui n'ont pas encore été relégués dans la pièce en face. La toile est crevée sur le côté ; il a commencé à la recoudre avec un fil blanc, du fil au chinois, ciré pour devenir presque incassable. Octave jette un coup d'œil. La couture est nette, serrée. Impeccable. À croire qu'Andreas se recoud les bras chaque fois, que l'habitude a fait de lui un virtuose. Il n'en est rien : il a toujours été habile, de la même façon que ses doigts qui courent sur la toile, ses mains tournant les pinceaux comme des baguettes magiques. Une obsession : l'inactivité lui est douloureuse.

Le problème, c'est que les doigts d'Andreas s'animent quand ça ne va pas. Quand ça bout. Quand ça implose. Ils s'agitent de la même façon que la fumée annonce le feu.

— Elle va partir, murmure Octave en se retournant.

— Laisse-la. Tu as vu jusqu'où elle a osé venir. Si elle ne part pas maintenant, ça finira mal.

— Et mon avis ? Est-ce que tu t'en es préoccupé une seule fois ? Et si je vais lui parler ?

— Sauf que, de nous deux, c'est moi qui décide !

Octave se fige. La rancœur lui monte du ventre une fois encore ; et cette pensée qu'il pourrait partir lui aussi. Avec ou sans Camille. Un effort monumental à fournir, pour quoi ? Échapper à ce fou. Seulement ce n'est pas si simple pour Octave, abîmé comme il l'est, incapable de vivre en société, travaillant pour Andreas depuis près de quinze ans. Comment vivra-t-il ? Et il sait que la question essentielle n'est pas là. Elle est bien plus profonde, et bien plus grave : sans doute n'est-il pas capable de même commencer à partir.

— On a été trop loin, murmure-t-il – et prononcer le *on*, pour ne pas qu'Andreas bondisse, lui brûle la gorge.

— Ça n'existe pas, trop loin. C'est juste une vision. Celle des lâches.

— Il y a des choses irrattrapables.

Andreas arrache l'aiguille d'un coup, tire sur la toile qui se rouvre et bée. D'un geste sec il déroule tout. Balance le tableau contre le mur. Le cadre qui craque résonne dans la pièce, Octave regarde en silence, sans bouger, sans mettre de mots sur quoi que ce soit. Le fil s'est accumulé par terre en cercles irréguliers.

— Tu vois, dit Andreas. Tu vois qu'on peut revenir en arrière. Il suffit de tout casser.

C'est Madeleine qui braille la première.

— Pas sur les vieux, merde !

Henri s'excuse en levant une main.

— Désolé ! Je visais la Grenouille !

Au même moment, une grappe de raisin s'écrase sur son épaule, maculant le tee-shirt déjà sale. Derrière lui on s'esclaffe. Il crie : *Vengeance !* Coupe une nouvelle grappe qu'il renvoie sur Paul, se baisse pour éviter celle lancée par Charlotte – à moins qu'elle n'ait été destinée à Pascale, va savoir, et ça pleut du raisin dans toute la parcelle depuis que Lubin a crié : *C'est fini !*, parce qu'ils avaient rempli suffisamment de caisses, qu'après c'était le quota, et que tout ce qui restait pendu aux vignes irait au rebut. Autant se le foutre sur la gueule !

Madeleine sort des rangs. *C'est plus de mon âge*, marmonne-t-elle. Lubin lui donne une tape amicale.

— Assieds-toi en attendant. Dans cinq minutes je les remmène. Tu veux un panier ?

— J'en veux pas de ton raisin qui donne la chiasse ! Ou alors pour le vieux… Oui, donne. On en fera bien quelque chose.

Il coupe les grappes qui restent sur les pieds, pose le panier rempli près d'elle. *Tu me le rapporteras demain.* Il rejoint Camille et Georges qui terminent de charger les caisses en évitant les grappes eux aussi, renvoient généreusement en se cachant derrière les camions et en se faisant traiter de salauds. Le flanc du Trafic est rose de jus et de grains collés.

— Vous allez remmener les camions, dit Lubin. Vous revenez juste avec l'Iveco et on mettra les caisses vides sur le plateau. Georges, tu les poseras au pressoir. Camille prendra un des Trafic et moi l'autre pour rapatrier cette bande d'abrutis.

Ils filent tous les deux, vitres relevées, faisant un doigt d'honneur aux vendangeurs qui continuent à les mitrailler, jusqu'à être hors d'atteinte. Puis Camille ouvre la fenêtre, suit Georges de trop près, manque lui rentrer dedans quand il stoppe à la fin du chemin pour enquiller la route. À l'entrée du village un attroupement les arrête. *Vous avez fini, vous aussi?* Dans le camion de tête, Georges explique sans doute. Redémarre. Camille l'imite.

Au pressoir ils défont le premier chargement.

— Retournes-y, dit Georges.

— Non, je vais t'aider pour le deuxième.

— Je m'occupe déjà de vider ça. Lubin m'aidera pour l'autre. Vas-y, il doit avoir hâte qu'on finisse. On a du boulot derrière.

Lorsque Camille retrouve les vignes, elle les voit tous courir, hurler, s'essuyer le visage et le cou en riant. Lubin aperçoit le camion et commence à donner de la voix. *On arrête! On rentre!*, en vain. Personne ne l'entend. Il se baisse pour éviter de justesse une grappe de raisin, s'énerve.

— Bande de cons!

Portant les doigts à sa bouche, il émet un sifflement monumental. En une seconde ils s'immobilisent.

Certains d'entre eux ont encore du raisin dans la main ; ils le laissent glisser par terre.

— On rentre, bordel ! clame Lubin.

*

— Il va pleuvoir ? Pour la fête ? se désespère Pascale en observant le ciel serré de nuages.

Lubin hausse les épaules.

— Mais non. Ça va partir sur la Marne, le vent se lève de sud-est. Regarde, ça se dégage.

*

Camille sort du dortoir où ils se sont regroupés en attendant l'heure de la glane. Elle file sous les moqueries, sans relever les insinuations de Paul, sans répondre quand on lui dit qu'on n'en veut pas, d'Octave. Qu'il va gâcher la soirée. Peut-être. Mais il faut qu'il vienne et elle n'en démord pas. Parce que cette envie coupable de le voir, de se tenir à côté de lui, persiste. Et puis l'autre raison ; qui, plus encore que la première, ne regarde qu'elle. Alors elle peut bien supporter leurs remarques.

— Partez sans moi, dit-elle en ouvrant la porte. Je vous rejoins dans pas longtemps.

— Ou pas, susurre Paul.

— Je vous rejoins, martèle-t-elle sans le regarder.

Elle dévale l'escalier, traverse la terrasse. Devant elle la maison est silencieuse comme une tombe. Immobile au seuil de la baie, Camille devine une faible lueur au fond qui émane du salon, une lumière irrégulière, intrigante. Elle entre avec précaution, appelle. *Octave.* Cette fois, pas d'impair : elle a compris. Elle est docile.

Pas de réponse, mais elle avance dans la pièce inconnue. Son argument est imparable.

Dans la cheminée, un feu crépite. Un coup d'œil à droite. La porte-fenêtre est grande ouverte sur la campagne noire. Camille scrute l'obscurité, hésite à refermer la porte, recule simplement. La sensation étrange dans cette maison. Cette saleté de présence.

La musique explose d'un coup dans le silence. Camille bondit en étouffant un cri. Elle ne s'y attendait pas. Derrière elle au fond du salon, Octave, une télécommande à la main, est assis sur le canapé et la regarde. Les flammes qui dansent sur son visage dessinent des ombres mobiles, pressées, nerveuses. Un jeu de lumières tamisées, qui fait ressortir jusqu'au battement de ses paupières. Avec la lueur rouge du feu derrière ses cheveux, Camille le trouve sinistre. Elle balbutie son nom pour se donner une contenance, mais dès qu'il fait un geste elle se tend, prête à décamper. Le volume de la musique décroît. Octave dit simplement : *Dvořák. Tu connais ?*

— On est prêts, murmure Camille sans répondre.

Octave hausse les épaules.

— Bien.

— C'est quoi cette musique de merde ?

Il soupire.

— Dvořák, je t'ai dit. Et ce n'est pas de la musique de merde.

— On est prêts, répète-t-elle. On y va.

— Oui, s'agace-t-il, et puis ?

Ce regard innocent, qu'elle a travaillé cet après-midi.

— On t'attend.

Octave a une brève hésitation avant de se reprendre. Sa voix rauque, mauvaise.

— Tu ne crois quand même pas que je vais aller là-bas.

— Je me disais que ça serait… bien.

— « Bien ».

Elle a un petit geste d'excuse.

— Pour être au complet. On a été huit, neuf jours ensemble, voilà.

— Je ne fais pas partie de votre monde. On n'a pas été *ensemble*.

— Ce n'est pas un problème.

— Bien sûr que si. Toutes vos portes me sont fermées, à cause de ce que je suis, là – il suit la cicatrice du bout du doigt – et là – il se tapote la tempe. Qu'est-ce que tu veux que je fasse avec vous ? Je ne suis pas idiot. Je ne viendrai pas m'humilier seul au bout de votre table.

— Les autres patrons viennent, eux.

— Je ne suis pas un patron comme les autres.

Camille se tourne vers lui. Comme une prière soudain.

— En fait je sais tout cela. Je voudrais que tu viennes c'est tout.

Un instant Octave reste désarçonné. Il crève d'envie d'y croire et ça bascule dans sa tête. Il lui en veut de l'attirer dans cette embuscade forcément ; en même temps il calcule le risque pour lui. Minime. L'avantage. Être avec elle, encore un peu. Il se sait déjà perdu.

— Et moi je voulais que tu restes. Tu te souviens ? chuchote-t-il.

— Je suis là, dit-elle.

— Je voulais simplement qu'on s'asseye quelque part.

Camille s'assied sans un mot.

— Qu'on regarde le ciel.

Elle secoue la tête, ne dit toujours rien. Tend la main. Lentement il la prend.

Piégé.

*

Il existe des temps suspendus, ces temps d'un autre monde qui précèdent les tempêtes et dont, si nous n'étions pas fous, nous nous garderions avec prudence. Ces instants et ces heures qui endorment toute méfiance, qui nous font croire à la possibilité de faire table rase du passé, de tout recommencer; ces temps de mensonge. Octave ferme les yeux pour échapper au regard de Camille, s'empêchant de penser qu'il pourrait être heureux – il sait combien cette hypothèse est puérile et ridicule. Chaque fois qu'il a été heureux, quelque chose l'a brisé. C'est comme si le destin lui disait : *Regarde, mon vieux, tu as vu, c'est merveilleux non? Eh bien voilà, c'est fini.* Restent des petits morceaux de bonheur qui s'étiolent, se diluent puis disparaissent, sans qu'il puisse rien y faire. Une mauvaise étoile peut-être. Alors maintenant il faudrait y croire? Impossible. Et assis au bord de la terrasse, avant d'aller retrouver ces autres qu'il déteste, il sent la présence dominante de Camille, sa force, la lueur au fond de ses yeux. Ils sont de la même veine implacable; mais ils aspirent au calme avant que le drame ne se noue nécessairement. Finalement c'est ce qui devait arriver : ils y sont. Côte à côte. Malo introuvable, qui les parasite. Seule la suite de la nuit reste en suspens.

Dans l'obscurité Octave devine la silhouette de Camille à moitié allongée dans le fauteuil près de lui, terriblement silencieuse. Elle s'est enroulée dans un plaid. Octave frissonne lui aussi mais s'oblige à ne pas bouger, refuse de prendre le risque de rompre le charme. Ils sont là tous les deux et, malgré l'heure précoce, la semi-obscurité bruisse de grillons. Parfois la voix de Camille s'élève, ou la sienne, quelques mots, un murmure, on entend à peine. La fatigue dans les phrases trop courtes. Et Octave n'y croit pas, à cette soirée sur la terrasse près de Camille. Il a raison de se méfier : les grands rideaux de part et d'autre sont là pour le lui rappeler. Seulement Camille rapproche son fauteuil du sien, ramène ses jambes sous elle et s'enveloppe dans la couverture. Il entend sa voix tout contre lui, elle penche un peu la tête, tend une main vers le ciel.

— Dès qu'il y a une étoile filante on y va, d'accord ?

Il sourit.

— On risque d'attendre longtemps, ma belle.

Elle tressaille sous le mot, fait un effort pour ignorer le compliment. Qu'elle rougisse, Octave ne le verra pas.

— Pourquoi ? proteste-t-elle.

— Parce qu'à cette époque on n'en voit presque plus. Tu confonds avec le mois d'août ; la saison est courte pour les étoiles filantes.

Camille soupire.

— Dommage, j'aurais bien fait un vœu.

— L'année prochaine, dit-il en regardant le ciel.

— On est partis, alors ? Puisque ce n'est pas la peine d'attendre.

Octave se penche vers elle, repousse une mèche de cheveux blancs qui lui cache son visage. Camille ne proteste pas. Elle aurait dû : il perçoit ce trop grand changement d'attitude, cette soumission impossible. Il murmure : *Pourquoi tu fais ça.* Plante son regard dans le sien, et lui qui attendait de l'embarras, recule de surprise en ne trouvant que du défi dans le regard de Camille, le défi des indomptables, de ceux qui mourraient plutôt que de se soumettre. Elle est tout en bravade cette gamine avec ses histoires de fées, tout en insolence. Elle ne discute pas, elle affronte ; ne sourit pas : elle nargue. Octave l'imagine comme une vague immense, avalant tout sur son passage, et qui comme toutes les vagues ira échouer sans force et sans avenir, vomissant ses violences, sur une plage inerte. Peut-être lui faut-il encore du temps pour apprendre la vie, ses compromis et ses demi-mesures. Il se trouvera bien un jour qui l'obligera à ça. Un jour si proche.

Il se cale au fond du fauteuil et continue à la regarder en coin, écoute sa respiration tranquille. Revient au ciel, fait un vœu au cas où et attend quelques minutes, mais il ne se passe rien. Il pense : *Évidemment.* Pourtant des millions d'étoiles brillent par-dessus eux, lumineuses et immobiles, il fera beau cette nuit. Octave ferme les yeux, il voudrait que les heures suivantes n'arrivent jamais et que Camille soit à lui, c'était ça son vœu, tu parles que c'est possible, même pas en rêve. Elles peuvent bien filer, les étoiles.

À côté de lui Camille ne fait aucun bruit ; il lui semble qu'elle s'est endormie, la tête tournée sur le côté, enroulée sur elle-même comme un petit animal. Il l'observe un moment, laisse errer son regard sur l'univers. La nuit est noire et lumineuse comme un tableau de Soulages en automne à vingt et une heures. Plus bas dans la vallée, là où coule le ruisseau, des colonnes de brume blanchissent l'obscurité ; à l'aube il y aura du brouillard, de la rosée sur l'herbe. Le parc tout entier devant lui n'est qu'une vague silhouette s'engourdissant de sommeil. Autour de la lune Octave voit, comme des éclats dorés, les constellations qui disparaîtront au petit jour.

— On y va?

Le murmure est si doux qu'il n'a troublé ni l'air ni le chant des grillons, et c'est cette douceur qui alerte Octave, soudaine et anormale, peut-être même qu'il pourrait embrasser Camille à cet instant, elle se laisserait faire – il n'essaie pas. Il revient au ciel, à ces scintillements flous à force d'être regardés, par des millions d'yeux peut-être. Il rêverait que ce temps se fige, et dure pour l'éternité. Il croise les doigts juste pour voir, juste pour rire.

— Dis, insiste Camille.

Et Octave hoche la tête et se lève. Le destin : c'est cela qui lui fait ramasser la canne et suivre Camille. Il faudra bien que cela se fasse. Simplement il ne pensait pas qu'il aurait si peur ; il ne croyait pas qu'il faudrait se méfier autant de cette fille trop forte. Machinalement, il triture le haut de sa chemise, le tient devant sa gorge comme pour se protéger. Un soupir. Concentration.

Par la fenêtre, Andreas, les yeux révulsés, fait non de la tête.

*

Dans la lumière artificielle, Charlotte, Henri, Paul et les autres, ils sont tous autour des tables et ça braille déjà fort quand ils arrivent. Octave a un mouvement de recul en entrant dans la pièce surchauffée malgré les grandes portes ouvertes, en se heurtant aux conversations bruyantes. La rupture d'avec la nuit solitaire est brutale. De loin, Henri met un coup de coude à Lubin qui se lève stupéfait. Allonge un bras vers le ciel.

— Ici, ici !

Il repousse les gens autour de lui, fait de la place sans ménagement sur le banc qu'il occupe avec d'autres. Octave sent Camille le retenir une ou deux fois quand sa canne se prend dans les pieds des chaises trop serrées. Camille qui perçoit son embarras au moment où ils s'asseyent, pressés comme dans le métro un jour de grève, et Octave est à sa droite, le mauvais côté, de tout le dîner elle ne verra que la cicatrice – il se prend le visage dans une main pour le masquer. Camille la lui retire doucement. *C'est bon.* Sent la tension. Lubin pose deux coupes de champagne devant eux.

— Bonne mère, ce que je suis content ! hurle-t-il.

Il regarde Octave qui lui sourit avec précaution.

— Santé ! Ah, nom de nom !

— Ça se passe bien ? demande Octave.

— Oui, y en a un qui voit venir les élections et qui a pas pu s'empêcher de nous faire le discours, le village, le champagne, le travail, blablabla… et puis dès qu'on a eu la paix on a commencé à s'en prendre une lampée, puis une autre, et ça doit bien faire la cinquième maintenant…

Camille essaie de rester sérieuse, Lubin n'apprécierait pas sans doute ; il remarque son sourire et lui donne une tape sur la tête par-dessus l'épaule d'Octave.

— Ris pas, petite, je sais bien que j'ai déjà trop bu, mais qu'est-ce que tu veux c'est la fête, c'est une fois l'an, faut profiter. Le patron est d'accord.

Ils trinquent, et Lubin attire vers eux des plats de charcuterie, une corbeille de pain.

— On a vu large cette année, mais vaut mieux pas laisser passer son tour. Le jambon sec c'est celui du Gaston à Sancy. Le beurre, tonne-t-il, hé le beurre ! On ne s'entend plus, il faut gueuler comme dans ces trucs

où vous allez, vous les jeunes, les McDo, là, à l'heure
de pointe. Dans une heure y en aura la moitié de bour-
rés, ça ira mieux quand ils auront roulé sous la table.

Camille se sert au passage, attrape un bocal de corni-
chons gros comme des petites courgettes.

— Fabrication maison, prévient Lubin, ça vient
de chez Madeleine. Ils arrachent la gorge pire que la
goutte !

— J'adore. T'en veux ?

— Surtout pas.

Assis à côté, Octave mange peu, avale coupe après
coupe. L'écœurement lui vient à contempler ces silhouettes grasses et maigres mélangées, affairées à
ingurgiter autant de nourriture qu'elles le peuvent parce
que c'est gratuit, à boire tant que ça tient, à draguer
parce que au bout du compte, tous ivres, il y aura bien
quelques occasions au coin de la rue. D'un domaine à
l'autre ils se ressemblent, ces vendangeurs, hurlant de
rire de la même façon bruyante et vulgaire, s'interpel-
lant pour un rien, faisant semblant de se disputer pour
que les filles les regardent. Ils sortent chacun avec son
paquet de cigarettes parce que le patron refuse qu'ils
fument à l'intérieur, mais dans une ou deux heures ils
ne seront plus en état.

Ils bavardent, et ils font les beaux. Les rires trop
aigus et les regards trop appuyés, glissés dans les inters-
tices offerts, Octave les a vus mille fois. À la glane,
on baise, c'est mathématique. La tension qui descend
d'un coup ; la détente après le travail en quelque sorte,
une certaine vision de la fête. Et les litres d'alcool. Une
sorte de nausée le raidit. Le début de la colère. À l'intérieur ça sature, et sa gorge se noue de ne pas laisser
sortir les insultes. Ce n'est pas tant le mépris qu'il a de

ces gens, il le sait : c'est cette vieille jalousie haineuse qui le charcute du dedans à les croire tous heureux, et même si ce n'est pas vrai, si certains sont au bout du rouleau, ils font semblant et rient aux éclats, la tête haute, ils font semblant et ça ne se voit pas. Au fond de lui, Octave n'a que violence et chagrin à présenter. Son visage ne ment pas, défait, livide.

Une main sur la sienne. *Pardon*, dit Camille en prenant une tranche de pain devant lui. Elle prépare une assiette de jambon et de terrine qu'elle lui tend. Octave n'a pas faim mais il sourit, s'arrache un remerciement. *C'est gentil.* Il prend une bouchée pour lui faire plaisir, repose le couteau. Pas étonnant qu'il soit si maigre. Il ferme les yeux. Serrés comme ils le sont sur le banc, tout son côté droit est collé contre Camille. Épaule, bras, jambe, sa peau est brûlante là où ils se touchent, une sorte d'engourdissement qui vaut tous les connards du monde, ceux qui les entourent, ceux qui les empêchent de s'entendre.

— Pourquoi tu as voulu que je vienne à ce truc…

Elle sourit sans répondre, ses cheveux lui frôlent le visage. Adrénaline. Elle lui sert une coupe de champagne, il ne les compte plus, Lubin garde jalousement des bouteilles vers lui, les tend au fur et à mesure que leurs verres se vident. Il n'est pas très sûr que Camille suive le rythme. Il lui prend la main ; pour la première fois elle ne l'enlève pas. En face d'eux, Paul les observe d'un air narquois. Octave plante son regard dans le sien, furieux qu'on ne lui foute pas la paix, jamais. Pas d'aménité, pas d'empathie. Cela l'épuise. Qu'est-ce qu'il a à prouver à un pauvre type qui se résout à coucher avec une fille comme Julie, hein. Peu à peu ses yeux s'étrécissent, retrouvent cette lueur mauvaise qu'ils ont souvent ; Paul finit par se détourner avec une moue de mépris. *J'ai gagné*, pense Octave. Du bout des lèvres il embrasse la main de Camille, s'embrase d'un coup. Elle rit et boit encore, les sert l'un et l'autre. La musique s'élève autour d'eux, calmant un peu le brouhaha. Enfin, la musique ; quelque chose qui s'en réclame. Cela finira en chansons populaires mais pour le moment ça ressemble à une ouverture de cirque. Avec trompettes et tambour. Cela rappelle à Octave des petits chiens déguisés sur une piste en copeaux. Des bals d'été écumés entre quinze et dix-sept ans, dans la maison de campagne des parents. Le genre d'endroit où il n'y avait rien à faire et où il se retrouvait systématiquement trois semaines en juillet. La haine. Même pas de télé. *Regarde comme c'est beau !* s'exclamait sa mère. Il ne regardait pas.

Le genre d'endroit désert et paysageux où il habite aujourd'hui. Petite vengeance du destin.

Au fond, heureusement qu'il y avait les bals et l'accordéon à cette époque-là. Octave se souvient des tentes tendues sur la place, des tables recouvertes de nappes en papier qui servaient de buvette. En début de soirée, le DJ passait des valses entre les tangos et les musettes joués par les gros moustachus flanqués d'un flonflon. Les vieux virevoltaient sur la piste. Le rock les chassait au bout d'une heure, ils échangeaient leurs places. Le parquet des tentes craquait sous leurs pas.

Regarde comme c'est beau ! Quelle conne.

Octave secoue la tête, essaie de faire tomber les pensées mauvaises. Elles se décrochent par paquets, au début comme des grappes serrées de petites personnes au-dessus d'un précipice, qui se cramponneraient aux branches tandis qu'il les agite pour les faire lâcher prise. Et puis comme des insectes lui remontant le long des

226

tempes. Quand elles deviennent une simple poignée de poussière dont il se débarrasse d'un geste de la main, il exhale un profond soupir. Tout petit répit. Il tend son verre et Lubin s'empresse. Boit la coupe cul sec, réclame à nouveau. Habituées au silence, ses oreilles saturent, bourdonnent; mais au moins n'y a-t-il plus d'espace pour la peur, les mots d'Andreas et le lendemain. Le champagne finit par lui faire tourner la tête, il ne sait plus si c'est grave ou si c'est bon, et même si cela a de l'importance. Les sons, les images se déforment peu à peu. Il boit toujours. Camille l'encourage, trinque aussi; il ne reconnaît plus sa voix. Une fille qu'il n'identifie pas le pousse depuis un moment, sans doute pour trouver de la place à côté de Lubin, une garce qui doit avoir une idée en tête ou ailleurs. Lui tournant le dos, elle le tasse l'air de rien. Il résiste; elle se tend. Il se recule d'un coup, furieux, et elle trébuche en arrière. Mais avec le monde dans la salle, des dos, des épaules la rattrapent sans même l'avoir remarquée, la repoussant sans y prêter attention, sans arrêter de boire ni de rire. Sauf Henri. Qui se matérialise juste à côté d'Octave, le souffle contre le sien, whisky sur champagne, Henri toujours posé, toujours calme. Il ne dit presque rien, quelque chose à voix basse, difficile de l'entendre avec le bruit autour d'eux, quelques mots, peut-être : *C'est bon.* Ou : *Ça suffit.* Même bourré, Henri est un type éduqué. Octave ne répond pas, reprend la place entière, le visage entre les mains. Lourd sur la table. Lubin dit : *Je suis là. Je m'en occupe.* Lui ressert une coupe qu'il ne veut pas et qu'il boit quand même en marmonnant : *Ça va. Je suis clair.* Personne ne le croit. Personne non plus n'a remarqué que Camille était partie.

Camille qui file vers la maison à petites foulées, les nerfs à fleur de peau. Elle pense, à peine quinze minutes à pied. Au premier coin de rue un peu sombre, elle se fait vomir. Ce n'est pas ce qu'elle a bu, puisqu'elle a pris soin de se resservir bien moins qu'Octave. Elle préfère, c'est tout. L'estomac convulsé, elle s'asperge d'eau à la fontaine publique, respire à fond. Première étape passée : Octave va flotter un moment à la glane. Champ libre. À présent on peut commencer à jouer – elle sourit. De tout temps, à n'importe quel jeu, elle a toujours gagné. La chance, ou la teigne. Elle ne lâche jamais rien.

Le souffle court, elle finit par ralentir, maintient un pas rapide, tournant la tête de gauche à droite. Cette étrange impression, comme si elle était suivie. Des voix qui l'appellent, des présences tout contre elle, une course sur le gravier quand elle traverse la place. Mais ce ne sont que des vendangeurs ivres et ils ne la regardent même pas passer. Lorsque la rue descend à la fin du village, Camille se remet à courir. Ses semelles souples ne font aucun bruit sur le macadam. Aussi, quand il lui semble à nouveau entendre une foulée dans l'herbe, elle tend l'oreille. Ne s'arrête pas. Elle sait que la peur transforme les perceptions.

Arrivée devant la maison, elle se fige une fraction de seconde, englobant la grande silhouette en pierre de sa colère et de son désarroi. *Salope*, murmure-t-elle. À l'étage, deux fenêtres côte à côte sont éclairées. En quelques enjambées Camille est devant la porte d'entrée et se glisse à l'intérieur. La lune éclaire les pièces, juste assez pour qu'elle reconnaisse vaguement le vestibule et le salon, les couloirs qui font le tour de la bâtisse, l'escalier au fond à gauche. Elle se sert de son téléphone comme d'une lampe de poche. Ce serait trop bête de renverser quelque chose. Se coulant dans la semi-obscurité, elle atteint l'escalier, écoute un long moment. Des couinements d'oiseaux dehors, des craquements de vieille maison. La tension la gêne pour bien entendre, comme un bruit de coquillage à ses oreilles, un lointain chuintement qui l'empêche d'être sûre d'elle. Son cœur qui bat trop fort résonne dans sa poitrine. Elle respire profondément, penche la tête sur le côté pour détendre les muscles de sa nuque tétanisés par la concentration. Sur le guéridon à côté d'elle, des revues s'empilent, des magazines automobiles et des mensuels de jardinage, avec des traces de tasses de café dessus, quelques pages froissées. Le parquet est doré et patiné. Coup de chance : il ne grince pas. Une odeur plane, qui pourrait être celle de la cire d'abeille, ou des pins dehors après une journée de soleil. Camille expire encore, pose un pied sur la première marche et essuie son front en sueur. *C'est parti.*

Souple comme un chat, elle gravit l'escalier sans un bruit, les yeux guettant chaque recoin d'ombre, détectant le moindre mouvement, même celui d'un mouton de poussière quand elle arrive en haut. Couloir de droite. Là où elle a surpris Octave l'autre jour. Ses mains frôlent les murs pour se guider, l'angoisse monte et l'étreint, comme quand enfant elle jouait à chat déli-délo la nuit à la campagne avec cette bande de petits Parisiens délurés ; ils sortaient vers vingt-deux heures, quand les réverbères du bourg s'éteignaient. Le terrain de jeu, c'était le village entier, un modeste village pour un immense champ d'action. Ceux qui se faisaient prendre par les chats tendaient la main sous la petite halle en attendant qu'on les délivre. Certaines fois, elle avait tellement peur qu'elle se terrait dans un endroit introuvable jusqu'à la fin du jeu ; une nuit elle avait passé plus d'une heure roulée en boule sous un gros laurier au pied de l'église. Ne voulait plus sortir. Aurait attendu l'aube si Malo ne l'avait pas appelée en jurant que la partie était finie, la faisant émerger échevelée et égratignée de partout. Parfois un habitant excédé par leurs cris ouvrait une fenêtre en gueulant. À minuit, une heure, ils rentraient chacun chez soi, se glissaient jusqu'à leurs chambres sans réveiller les parents. Ils avaient quoi, dix, douze ans.

Dix ans plus tard Camille retrouve cette attention aiguë, cette peur insidieuse qu'elle pensait avoir oubliées. Mais la ressemblance ne la fait pas sourire : cette fois, c'est du sérieux. Ils ne sont plus des enfants, et elle se demande soudain comment cela va finir, ce soir. Sous la porte filtre un rai de lumière. Elle hésite plusieurs secondes, c'est mauvais pour la tête de réfléchir dans ces cas-là, son cœur s'emballe, traître lui aussi, elle le sait qu'elle a une trouille vertigineuse. Alors elle se force, opte pour une solution brutale et ouvre d'un coup en appelant : *Ohé ?*

Et puis elle se fige. Bouche ouverte.

*

230

Devant elle s'étale un immense atelier au parquet maculé de taches sombres. Une lumière sinistre, une ampoule nue au plafond, quarante watts au mieux. Elle devine les tables couvertes de toiles, les empilements, les contrastes au sol. L'odeur surtout. Âcre. Mouillée, écœurante, en un éclair elle l'identifie, l'odeur du sang. Elle fait aussitôt le lien avec les tableaux et frissonne – un fou, un fou furieux. Son cœur accélère encore. Du coin de l'œil, elle balaye l'immense pièce en tressaillant, paniquée par la possibilité d'être surprise. Des ombres partout. Un cauchemar. Elle sent ses muscles se serrer par à-coups chaque fois qu'elle croit apercevoir une forme anormale. Le long d'un mur, un vieux canapé jaune. En quelques secondes, elle a fait le tour, évitant soigneusement de passer devant les fenêtres. Reste une porte au fond. Elle s'approche sans un bruit, tremblant sous la pression, n'ose pas ouvrir. L'antre. Le refuge. Et quoi derrière ? Un fou ? Un être difforme ligoté à son lit ? – elle y a pensé déjà. Forcément quelqu'un qui l'a entendue appeler. Qui l'attend. Finalement elle toque du bout des doigts. Un léger bruit derrière. Un instant, Camille pense à s'enfuir ; et puis la peur la cloue là.

Rien ne se passe.

Sauf peut-être en bas : comme le craquement d'une porte poussée. Camille l'entend avec angoisse, se décide à ouvrir la porte, vite – à l'entrouvrir. Pièce noire. Elle laisse passer cinq, dix secondes. Toujours le bruit de fond. Elle pense, une machine. Des images terrorisantes lui passent dans la tête : un homme relié à des perfusions et des mécaniques médicales, un homme qui n'en serait plus un, un petit tas de chair — toujours cette idée récurrente. Au-delà de sa peur, Camille passe la main le long du chambranle, tombe sur l'interrupteur. Clac.

231

Elle pousse la porte du pied. Vide. Une salle de bains. Et deux frigidaires. Par réflexe elle se retourne – le bruit, encore, infime, mais surtout surveiller la chambre, si quelqu'un sortait de nulle part, bah voyons, tu l'as vu maintenant, qu'il n'y a personne. Pas même de quoi vivre dans cette pièce surchargée de tableaux aux relents vinaigrés. Alors. Les yeux écarquillés, elle appelle : *Andreas*. Aucune réponse bien sûr. Elle ouvre le premier frigidaire avec précaution. Elle s'y attendait presque : des rangées d'éprouvettes. Remplies d'un liquide rouge qui ne peut être que le sang des toiles.

*

Au même moment, les pas résonnent dans le couloir. Elle se rue sur la porte de l'atelier et verrouille sans réfléchir, revient au centre de la pièce, s'assied sur le canapé les jambes coupées et la main au cœur. Cette curieuse impression qu'il va exploser.

La seconde d'après, quelque chose se jette de l'autre côté de la porte.

La première poussée fait craquer le bois. Camille s'est relevée en criant, cherche un outil, un pinceau, n'importe quoi pour se défendre. Ses doigts tremblent tellement qu'elle n'a pas le temps d'attraper quoi que ce soit : au troisième assaut, le verrou éclate dans la porte et l'ombre se projette à l'intérieur, qu'elle accueille avec un hurlement.

Une silhouette immense, noire, s'encadre devant elle. Le corps secoué par les saccades de la respiration. Le voilà, le monstre.

*

Camille recule jusqu'au fond de la chambre avec une longue plainte, le regard happé par l'être qu'elle devine, son souffle rauque venant lui lécher le visage. Un pas. Il entre. Elle mugit : *Non !*

Et puis un rire comme une insulte, arraché au fond du ventre.

— Bonsoir, ma belle.

C'est la voix d'Octave, déformée, traînante, plus lugubre encore, mais la voix d'Octave. Camille expire bruyamment, sent les larmes lui monter aux yeux. Des larmes de terreur et de soulagement – elle recommence à respirer. Oui, Octave : lorsqu'il s'avance, la canne claque sur le sol.

— Putain, ce que tu m'as fait peur ! reproche-t-elle d'un coup, en colère.

Mais aussitôt elle s'immobilise. Le doute, quelque chose de terrible.

— Octave ?

Le visage se relève lentement sur elle et elle met une main devant sa bouche, saisie d'effroi. Car ce n'est pas Octave. Ou plutôt si, mais pas celui qu'elle croise chaque jour depuis une semaine : une sorte d'être animal, blême, effrayant de puissance contenue. Le regard est rouge, et rouge la langue qui passe sur les lèvres, comme un loup contemplerait un agneau. Un homme injecté, illuminé de folie ; les traits défaits et les bras ouverts, à travers lesquels rien ne passera.

— Devine.

C'est fou comme la voix peut dire des choses, pense Camille. L'instant d'après elle recule encore d'un pas ; l'adrénaline s'engouffre dans ses veines. Elle respire imperceptiblement pour arriver à articuler quelques mots, même pas, un seul suffit.

— Andreas ?

Il rit. *Devine encore.* Une fois de plus la voix a changé ; Camille reconnaît soudain les intonations, ne comprend plus, et puis une fulgurance. La vérité lui éclate au visage. Elle crie encore : *Non !*

*

— C'est toi qui l'as fait revenir, murmure Octave.

Appuyé sur la canne, il s'approche de manière imperceptible. Comme s'il se balançait d'une jambe sur l'autre, comme s'il chancelait. Seulement il avance. Camille sent ce terrible rayonnement malade. Elle voudrait s'enfuir ; pas un muscle, pas un nerf ne répond. Juste sa bouche ouverte, ses yeux sur lui. Elle sent son haleine chargée d'alcool à présent.

*

Il dit de sa voix caverneuse, à peine audible :

— Pourquoi tu n'es pas simplement partie. Pourquoi est-ce que tu m'obliges. Tu le sais maintenant, que je n'ai pas d'autre solution.

*

Camille se tait. C'est comme si le sang s'était retiré de son visage, de ses mains qui fourmillent, comme si elle avait pris un coup sur la tête et qu'elle cherchait à reprendre ses esprits, vite, elle sait, très vite il le faut. Elle regarde ses ongles, cela gagnera un peu de temps, ça ne sert à rien, elle n'arrive pas à penser. Octave et Andreas en face d'elle : d'un coup l'erreur lui apparaît, magistrale. Ne pas s'être méfiée d'Octave, de ses réactions anormales, de ses nuits intrusives. Camille s'est sentie protégée par Dieu sait quoi, Malo d'abord, puis cette force au fond d'elle, indestructible et dérisoire. Par Lubin. Henri. Mais personne n'est là ce soir et, en fermant les poings sur ses doigts trop fins, elle mesure à quel point elle a eu tort de se croire indestructible. Même la vision de la canne ne la rassure pas. Quelques hypothèses défilent à toute allure dans sa tête, elle est agile, rapide, il faut fuir cette pièce, elle en est capable, si seulement elle arrêtait de trembler. Elle fait taire la petite voix qui, à l'intérieur, répète en boucle qu'elle s'est fait prendre au piège comme un rat ; oui, le mal est fait, elle a engagé le jeu, il est devant elle. Camille frissonne, cherche les mots qui toucheraient Octave. Puisqu'elle le fascine. Puisque dans sa folie elle émerge comme une lumière sacrée. Forcément c'est un coup de poker – *arrête de penser*. C'est elle cette fois qui fait un pas vers lui. Une enjambée et elle peut le toucher. Alors elle lui pose une main sur le bras, avant qu'il ait pu réagir, une main légère mais provocante, elle murmure : *Octave*.

En retour, le choc est instantané, totalement imprévisible. Pas une gifle : un poing serré, qui vient la frapper à la mâchoire. Camille s'effondre, le regard flou, la tête anesthésiée. Elle se protège le visage en pleurant ; mais rien de plus ne vient. Seule la voix enragée, très basse.

— Qu'est-ce que tu crois, Camille, que c'est toi qui mènes la danse ? C'est un peu tard maintenant pour faire marche arrière. Tu comprends ? *Tu comprends ?*

Recroquevillée au sol, secouée de sanglots, Camille hoche la tête. Son corps est un grand vide sans fond. Elle entend la voix qui ordonne sans ménagement :

Relève-toi, obtempère sans un mot, sans un regard. Le visage douloureux, les bras ballants, toute sa concentration est tournée vers une unique chose : elle va s'en sortir. Elle ne sait ni vraiment de quoi, ni comment, mais la conviction est là. Elle serre ses doigts l'un contre l'autre, nerveuse. Octave la regarde. Cet air affolé ; ces cheveux blancs impossibles qui continuent à le déconcerter – une toute petite faute d'inattention, une fraction de seconde. Alors Camille fait volte-face, arrache la porte cassée et se rue dans le couloir.

Il ne la rattrapera jamais avec sa jambe abîmée, et la pensée la calme d'un coup. Elle a une minuscule chance : dorénavant elle sait qu'il est seul. Elle descend les marches de l'escalier quatre à quatre, s'interdit de reprendre confiance trop vite. *Pas encore, pas tout de suite, attends d'être dehors. Il suffit que tu te tordes la cheville.* Cinq mètres. Elle se jette sur la porte d'entrée. Close. Collée. Murée peut-être.

Camille la cogne avec un cri. La secoue, à la dégonder. Derrière elle, elle entend le bruit de la canne, elle se retourne en hurlant, impossible d'ouvrir, Octave est là. Il s'arrête à quelques mètres d'elle, sort un trousseau de clés de sa poche et l'agite. Ça tinte dans tous les sens, Camille n'arrive pas à le quitter des yeux.

— Elle est fermée à clé. Toutes les portes sont fermées à clé. Et toutes les fenêtres ont des barreaux en fer dans cette bonne vieille baraque, tu as dû le remarquer. Alors, Camille, qu'est-ce qu'on fait maintenant ?

Avant qu'il referme la bouche, Camille s'échappe, avale le couloir qui traverse la maison. Au bout, elle supplie dans un cri : *Octave !* Seuls les pas derrière elle et le bruit de la canne lui répondent. Alors elle se tapit hors de sa vue dans un réflexe ridicule, clouée sur place.

Un éclair de conscience : son portable. Elle a oublié le portable dans sa poche. Terrée à l'angle du couloir elle l'extirpe tant bien que mal, elle sait qu'elle n'aura pas le temps d'appeler, impossible de composer un numéro qu'elle ne trouve plus tant son cerveau la chahute, le 15, le 18 ? N'importe – elle appuie frénétiquement sur les touches, si tremblante que l'écran se brouille devant ses yeux. Et puis un nom apparaît. *Malo.* Est-ce elle qui a composé le rappel, ou lui qui téléphone enfin, elle ne sait pas, pas le temps de se demander, elle rugit dans le micro :

— Malo ?

Dans le combiné, pour la première fois, la voix lui parvient, lointaine.

— Oui.

Au même moment, alors qu'elle a l'impression que son cœur s'arrête, Camille entend les pas d'Octave qui se rapprochent. Elle s'époumone dans le combiné, hystérique, terrifiée. Sautant sur place tant l'adrénaline lui secoue le corps.

— Malo, j'ai besoin de toi, il faut que tu viennes, Octave va… Octave va me… Appelle la police, vite ! Malo, je t'en prie !

Le dos plaqué au mur elle regarde la silhouette là-bas, qui s'avance. Dans un gémissement elle reprend :

— Malo !

Mais c'est trop tard, Octave est là dans l'ombre du couloir, tenant quelque chose à la main. D'abord Camille pense à une arme ; l'idée se forme d'un coup dans sa tête. *Mon Dieu, il va me tuer, il l'a dit. Il m'a prévenue.* Seulement cela semble trop petit pour une arme, et il lève le bras – *il me met en joue, un tout petit pistolet –*, plus haut encore, à son oreille, et à l'instant où il se met à parler, elle devine le téléphone, elle entend la voix grave à quelques mètres d'elle, qui murmure : *J'arrive.*

Dans le combiné qu'elle tient des deux mains, tout contre son oreille, la voix d'Octave dit en même temps :

— J'arrive.

Camille lâche le portable qui tombe en s'ouvrant, le boîtier, la batterie, le choc sec par terre, elle ne regarde pas. Elle bredouille :

— Mais qu'est-ce que tu lui as fait ?

Octave s'approche d'elle jusqu'à la toucher. Elle est paralysée sur place, quelque chose se forme dans sa tête. *Octave a tué Malo.* C'est trop gros, trop démesuré. Trop possible et trop réel.

— Malo ? demande-t-elle d'une voix déjà brisée.

— On est passés juste à côté, à l'étang. Il aurait suffi de si peu.

Les yeux rivés à ceux d'Octave, le souffle coupé, elle dit :

— Tu l'as tué.

Et Octave lui prend le visage dans les mains, comme ce jour il y a longtemps il lui semble dans la cave, et ses mains sont douces cette fois aussi, et elle sent son visage à elle où les larmes dévalent, l'épouvante qui monte dans son ventre et dans sa gorge parce qu'elle comprend enfin que Malo est mort, qu'elle n'y croyait pas, que c'est fait à présent, voilà il n'y a plus de Malo, c'était impossible et soudain cela existe.

Octave se penche sur elle. Un murmure.

— Ce n'est pas moi. C'est Andreas.

Elle le regarde comme on regarde un fou, transpercée par la douleur, tendue de haine soudain.

— Qu'est-ce que tu dis ? Andreas ou toi quelle différence ? C'est pareil ! Pareil !!

— Non ! Je ne savais pas. Je te le promets.

— Quoi ? Mais c'est toi qui l'as fait !

— C'est Andreas je te dis !

— *Putain Andreas c'est toi !*

— Nooon !!

Le hurlement remplit la pièce, descendant jusqu'aux tripes de Camille. En face d'elle Octave écume soudain, immense et puissant comme quand il a enfoncé la porte à l'étage, éclatant de rage. Au-delà de la souffrance, elle perçoit le danger en une fraction de seconde, ramasse toute son énergie. Elle refuse de se laisser faire. En face d'elle, Octave jette le téléphone de toutes ses forces contre le mur, rugissant sa colère et son désarroi. Elle s'enfuit en entendant les morceaux de plastique retomber sur le sol derrière elle. À présent il n'y a plus qu'elle. La mort de Malo la brise et la libère en même temps. *Cours !* crie-t-elle pour elle-même.

Alors elle reprend le couloir, secouant les barreaux des fenêtres comme une dératée, priant pour que l'un d'eux bouge, continuant sa course en ahanant. La peur lui tord le ventre, lui coupe le souffle ; chaque fois qu'elle s'arrête, elle entend la canne se rapprocher, elle est sûre qu'Octave joue avec elle, tic-tic-tic, *tu vois petite, j'arrive, je ne suis jamais loin.* Elle enfile l'angle de la cuisine, dérape en poussant un hurlement : il est là, il a pris le second couloir sans doute pour la surprendre et elle manque se cogner contre lui. Il tend le bras, elle sent ses doigts la frôler comme des griffes et se cambre pour lui échapper, s'agrippe au chambranle de la porte pour ne pas tomber, repart de plus belle dans l'autre sens.

Elle s'engouffre dans la salle à manger abandonnée, se serre dans une petite pièce de service en essayant de reprendre haleine, appuyée contre le mur. Il lui semble que son cœur va exploser, qui bondit de manière irrégulière et lui cogne dans la poitrine, elle pense : *Je vais mourir*, et puis : *Il faut que je m'asseye, il faut que je respire*, elle ferme les yeux, compte jusqu'à trois, inspire, expire. *Je vais mourir.* Elle sait qu'elle a dix, quinze secondes devant elle, pas plus, après il sera là, vingt secondes pour retrouver un peu de souffle, pour ne pas s'effondrer. Dans un coin de conscience, elle se voit flageolante et tremblante, elle pourrait avoir cent ans à cet instant, ça ne serait pas pire. Elle a mille raisons d'abandonner, de se rendre à l'évidence : elle n'a qu'une chance infime d'échapper à cette nuit terrible. Mais le découragement est enfoui sous une couche d'épouvante si épaisse que rien ne la traversera, rien n'accédera à ce qui se trame en dessous et qui la ferait s'anéantir sur place. Glacée de peur à l'idée qu'il puisse l'attendre caché quelque part, elle jette un œil dans la salle à manger. N'ose plus bouger. Les oreilles aux aguets, elle écoute longuement la maison muette. Plus aucun bruit ne suinte des couloirs désertés. Pire que quand elle entendait la canne la poursuivre. Terrorisée par le silence épais, elle reprend le couloir. Essaie de réfléchir. Elle ne pourra pas se sauver toute la nuit. Sa seule chance, ce sont les toilettes. Elle se remémore la fenêtre que l'on voit de l'extérieur : la seule sans barreaux. Trop petite, et trop haute. Mais elle y va. Quitte à se casser les os pour forcer le passage. Elle évite un carreau fendu au sol, qui aurait pu la trahir.

Chaque porte, chaque encoignure peut cacher Octave, qui connaît la maison par cœur : il n'aurait qu'à tendre le bras pour l'empoigner. Elle avance à pas de loup, attend, fait un pas à nouveau. Scrute les recoins bardés d'ombre. Devant la porte ouverte de la cuisine, elle passe la tête et la retire vivement. Rien. Elle se glisse dans l'obscurité, continue à avancer. Atteindre le fond. Les toilettes. Le piège à rat si Octave a deviné : un cul-de-sac au bout du couloir. Les yeux surveillant devant, derrière, tous les pièges possibles, Camille sent monter la migraine – c'est la peur qui l'attaque, l'investit, lui sature la tête. Elle se prend le visage entre les mains et appuie, fort, une seconde, deux peut-être.

Au moment où elle se redresse, Octave est devant elle.

Dans un cri terrifié Camille recule contre le mur comme si elle voulait s'y engloutir, se collant aux pierres rugueuses. Elle tourne la tête frénétiquement pour trouver une issue. Mais il n'y a plus rien ici, pas même une porte de service. *Oh non, oh non…* – elle revient à Octave en gémissant. Il la regarde, il n'a pas bougé. Il y a moins de vingt mètres entre eux.

— Tu ne vas pas faire ça ? pleure-t-elle.

Mais il ne répond pas, avance de deux ou trois pas. La canne sur le sol. La silhouette bancale. Il s'arrête.

— Non, s'il te plaît, supplie Camille. Ne fais pas ça…

Octave s'approche encore, quelques pas. Dix mètres peut-être. Camille essaie de reculer, comme si elle pouvait monter au mur, courir au plafond peut-être. Palpe derrière elle, même un vieux bâton ferait l'affaire. Mais rien. Une maison aussi lisse que le regard d'Octave.

— Qu'est-ce que tu me proposes, alors ?

Camille pleure sans répondre. Les nerfs. La conviction que tout est vain, une peur trop grande qui la déborde, l'étrangle. Si même Malo ne s'en est pas sorti. *Il faut courir*, dit une voix au fond d'elle ; mais elle secoue la tête.

— Il faut arrêter tout ça, balbutie-t-elle.

— Tout ça quoi ?

— S'il te plaît. S'il te plaît…

— Ne sois pas triste Camille, la console-t-il. Tu sais, tout ça comme tu dis…

Il s'interrompt, elle le dévisage intensément. Un espoir stupide. Il reprend :

— … au fond tout ça n'est qu'un jeu.

Dans la fraction de seconde qui suit, il jette la canne par terre, fait un bond magistral vers elle. Elle met ses mains devant la bouche pour ne pas hurler en le voyant comme ça, campé sur ses jambes, droit, normal. *Normal.* Andreas ! Elle n'a pas le temps de réaliser qu'il se rue sur elle, la rejoint en quelques enjambées et la plaque au mur. Tétanisée, elle est restée sur place. Elle voudrait crier maintenant, mais pas un son ne sort ; un hurlement strident finit par déchirer l'air. Octave lui met une main sur la bouche, appuie jusqu'à ce qu'elle hoche la tête en signe d'acquiescement. Alors il retire lentement ses doigts en murmurant : *Chut*, et elle balbutie, à moitié suffoquée :

— Mais alors tu n'es pas…

Il rit, d'un rire effrayant, sépulcral, les yeux fous.

— Tu ne t'en doutais pas ? Je le fais bien, hein ?

Sans doute s'il ne la tenait pas si fort contre lui elle tomberait, les jambes sciées, l'espoir détruit, avec cette brèche dans la certitude qu'elle avait de s'en sortir parce qu'elle avait cet avantage inouï, pouvoir courir encore et encore tandis qu'il la suivrait en boitant – et elle le revoit bondir comme un fauve sur elle, elle tremble, il le sent, il sourit. Il est loin le temps de l'insolence et du mépris. Il lui caresse les cheveux comme il le ferait d'un animal pris dans un piège. Camille ne pleure même plus : trop peur. Tout s'est arrêté. Même la mort de Malo est passée au second plan. Il n'y a de place que pour une seule chose dans la tête de Camille à présent : la terreur.

— Est-ce que tu sais ce qui va arriver maintenant ? demande Octave avec un sourire ravi.

— Non, non, non…, implore-t-elle.

— Bon. Je vais résumer, alors. Imagine un lion qui a attrapé une très jolie gazelle…

Et soudain sans prévenir, sans le moindre signe avant-coureur, il se jette sur elle, la mord à pleines dents au cou, referme la mâchoire. Camille pousse un cri et se liquéfie ; la douleur est telle qu'elle se retient à lui, la main crispée sur son épaule. Ne plus bouger. Le moindre mouvement lui vrille les nerfs, lui écrase les muscles fragiles de la gorge. Elle sent les larmes couler sur son visage à nouveau, incontrôlables ; seule la souffrance irradie son corps, suspend son esprit. Elle s'engourdit peu à peu, s'ankylose, le cou tordu sous la morsure. N'arrive plus à respirer. Un peu de salive coule au coin de sa bouche. Peut-être du sang, elle ne voit pas. Toujours aucune pensée. Seuls ses yeux terrifiés roulent dans leur orbite.

Et puis Octave desserre son emprise. La peau s'arrache sur chacune de ses dents et Camille chancelle, s'agrippe, immobile et douloureuse. Octave vient renifler son visage et elle le laisse faire. Retient son souffle, et ses mots lui tournent dans la tête, *imagine un lion qui a attrapé une très jolie gazelle.* Trop affolée pour tenter un geste. Quand il ouvre la bouche elle se rétracte en vacillant, ferme les yeux. Elle grelotte de peur, attend, attend encore. Essaie de ne pas sursauter quand Octave se met à lécher ses larmes. Elle sent sa langue passer à petits coups sur ses yeux, sur ses joues, sur ses lèvres. Faire le tour de son oreille. Revenir à sa bouche, entrer, glisser le long de ses dents. Suivre son cou tout du long, comme le ferait un serpent égaré. Elle pense qu'elle va vomir.

— Tu trembles, murmure-t-il.

Il lui redresse la tête, la regarde bien en face.

— Tu n'as toujours aucune idée de ce qui va arriver ?

Il s'assure qu'elle tient sur ses jambes, recule de quelques pas.

— Cours, dit-il.

Camille l'observe un instant, médusée. Pas une nouvelle fois, pas encore. Elle arrache quelques mots à sa gorge écrasée. *Je ne peux pas.* Octave insiste. *Cours.* Mais elle ne bouge pas, plantée là, refrénant l'envie de s'essuyer le visage. Plus de forces, plus rien. Elle préfère encore mourir là, mais que cela s'arrête. À présent elle est certaine qu'elle y restera.

Alors Octave tend la main, la prend à la gorge, là où la chair est à vif maintenant. La douleur jaillit instantanément et Camille fait un pas en arrière, manquant s'évanouir. Elle essaie de se soustraire à la pression. Octave la lâche d'un coup.

— Cours, je te dis, salope !

*

Cette fois Camille a bondi dans l'escalier. Elle s'en fout, des étages et des tours au bout desquels on se fait piéger dans tous les films qu'elle a vus, elle enjambe les marches quatre à quatre, s'aide de la rampe pour aller plus vite. Elle grimpe à toute vitesse, elle trouvera une chambre, une pièce, n'importe quoi. S'enfermer. Elle se voit claquer une porte et tourner la clé dans la serrure. Bien sûr qu'Octave défoncera tout, mais dans l'immédiat rien d'autre ne lui vient à l'esprit. Elle gagnera un peu de temps. Pour trouver une idée. Pour mourir de peur.

Derrière elle, son souffle à lui, proche. Camille détale dans le couloir. Elle sait qu'elle n'aura que trois ou quatre secondes pour verrouiller la porte. Elle a peur de flancher. Qu'il la rattrape avant. Qu'elle tremble trop pour fermer à clé. L'angoisse lui donne des ailes pourtant, mais quand elle arrive, il est déjà au bout du couloir. Les mains attrapant au hasard quelques meubles pour semer des obstacles dans son sillage, elle se précipite, s'emmêle, repart en hoquetant. Les portes sont là, tout près ; Octave sans doute juste derrière elle à quelques mètres. Elle n'a pas besoin de se retourner pour en être sûre. Elle le sent, il pue la mort. Elle court lourdement, le regard voilé par la peur et les bras écartés pour garder l'équilibre. Avec un mélange de victoire et de terreur elle se jette dans la première chambre, balance la porte de toutes ses forces. Lève un bras pour se protéger lorsque celle-ci lui revient en pleine figure, qui a rebondi sur le cadre. Camille la repousse violemment, s'affole. La porte ne ferme plus. Arc-boutée contre elle, elle essaie en vain de la forcer, de tourner la clé de travers, trop tard. Elle sent la poussée d'Octave d'un coup. Recule jusqu'au mur. Il entre dans la chambre, elle voit sa poitrine se soulever sous l'effort qu'il a fait pour la suivre. Il se penche vers la serrure et essaie de fermer, en vain lui aussi. Il la regarde en souriant. Il dit :

— Ces vieilles portes, hein.

JOUR DERNIER

Debout les pieds dans l'herbe humide, Lubin attend. Il avait prévu que la pluie passerait de l'autre côté de la vallée hier soir. Il a eu raison. Le ciel est levé bleu, avec de la rosée partout dans les prés. Un temps à champignons, pense-t-il machinalement. S'il avait le temps.

Derrière lui, la bâtisse est vide et muette. La fille du ménage est en train de nettoyer les dortoirs. Les mômes ne sont pas rentrés après la glane, comme il le leur avait dit. C'est bien : certaines années il en retrouve sur le seuil de la grande porte, ivres morts. Il savoure le silence avec un long soupir. Pour une fois, l'attente ne lui pèse pas ; le raisin est en cuve, le pressoir lavé. Il a dit à Georges de rentrer chez lui. Un vrai week-end.

Octave sait qu'il est là, un pas derrière lui. Il sait qu'il peut compter sur lui.

*

Il dit : Je ne voulais pas qu'elle reste, tu comprends, pour se faire mal elle et moi, il fallait juste qu'elle s'en aille, qu'elle comprenne qu'elle n'avait plus rien à faire là, que son frère était parti, en vadrouille ou avec une fille, enfin que voilà ici c'était ma vie. Elle voulait rester. J'ai refusé. Ça m'a coûté. Une si jolie fille ; d'autres en

251

auraient profité. Mais pas moi. Il ne fallait pas qu'on s'attache, elle n'était pas faite pour ça je le sentais, elle était légère comme un souffle de vent. J'aurais été trop lourd pour elle, je ne suis pas fou tu vois, je sais bien qu'elle n'aurait pas supporté. Voilà elle est partie. Enfin. Je lui ai demandé de ne pas revenir. Jamais. Je ne veux pas la revoir. Tu t'en souviendras si elle demandait l'année prochaine. Si elle changeait d'avis.

Octave baisse la tête.

— Tu comprends, ajoute-t-il.

Lubin ne dit rien. Il a repéré le bruit du moteur au bout de l'allée et attend qu'Octave se taise. Alors il lui fait la remarque :

— Le voilà.

Il met une main sur l'épaule d'Octave qui s'agite d'un coup, essuie son front et ses yeux.

— Ça va aller, assure le contremaître.

— C'est la chaleur, dit Octave.

*

Le camion ronronne, ils l'ont rejoint ; l'odeur, fétide, écœurante, ne laisse aucun doute, s'ils en avaient eu, sur sa cargaison. Lubin prend une inspiration désagréable.

— Je peux m'en occuper.

— Ça va.

Le chauffeur vient leur serrer la main. Il lit le papier chiffonné qu'il tient du bout des doigts.

— Un cheval, c'est ça ?

— Là-bas, dit Octave d'une voix éraillée en désignant le pré.

— Je vois. On y va.

252

Il remonte dans le camion, se rapproche de la barrière. Lubin ouvre et le chauffeur avance dans la prairie, tout à côté de Moloch.

— Heureusement que c'est porteur. Avec la flotte qu'on a eue ces derniers jours, c'est sûr que ça aurait patiné, sinon. Allez, c'est parti.

Avec la pince, il saisit doucement le gros corps inerte. Octave est certain que s'ils n'étaient pas là à le regarder, il y mettrait moins de délicatesse. De ce point de vue leur présence n'est pas complètement inutile. La sueur lui coule sur le front, la vision lui pèse, il est pressé d'en finir. Le bras du camion reste en suspens, le chauffeur rentre dans la cabine, ressort quelques secondes plus tard avec une feuille de papier. Le grand cheval pend au bout de la pince et plus rien ne bouge. Le spectacle dérange Lubin, qui tousse et se frotte la tête. À côté de lui, le regard dur, Octave fixe son cheval sans ciller.

— C'est pour la facture, dit le chauffeur en lui tendant le papier. On les pèse. Huit cent soixante kilos, c'est de la bestiole, dites.

Moloch s'élève dans les airs, redescend lentement à l'intérieur de la benne. On ne le voit plus à présent. Au moment où il a disparu de leur champ de vision, Octave a remarqué que Lubin détournait le regard. Sensibilité de vieux paysan. Le raisin, ça vous soucie, ça vous emmerde, ça pousse ou ça crève. Mais rien à voir : ça reste du raisin.

Jusqu'à ce qu'on entende encore le moteur du camion sur la route, Octave se tait lui aussi. Tendu. Les mains jointes vers la route, il articule en silence : *Pardon.* Maintenant il ne maîtrise plus rien, il ne peut qu'espérer que tout se déroule comme prévu. Toutes les chances sont enfin de son côté; il essaie de respirer lentement pour calmer cette joie dérangeante au fond de lui.

— Ça va aller, répète-t-il. Tout passe, tu as raison. Ça a été un bon cheval jusqu'au bout.

Il sait que Lubin ne l'écoute pas, ne comprend pas. Il s'en moque. L'important, c'est que lui sache pourquoi tout cela advient. Comment tout s'emboîte après avoir frôlé le drame. Il serre les poings dans ses poches. Si rien n'a bougé d'ici ce soir, il saura qu'il a gagné. Pour de bon. De loin, il adresse un petit signe de la main à l'attention d'Andreas qui doit les épier depuis la fenêtre de gauche. Tout va rentrer dans l'ordre et ils sont sauvés : c'est une question de temps, de très peu de temps. Et Andreas est si doué. Des doigts si agiles.

Personne n'a remarqué la longue couture sur le ventre de Moloch, noyée dans le poil presque blanc.

*

À l'intérieur, l'air est rare, épais et puant. Le corps ligoté de Camille est replié serré sur lui-même, poussant sur les parois rouges. Sur les bords, les côtes la retiennent, empêchant tout mouvement. Mais cela n'a pas d'importance. À cause de la plaie sur sa tempe. Bien sûr il y a ces yeux ouverts : mais ce n'est qu'un réflexe, une rigidité involontaire, et ces yeux ne voient rien.

Sinon ils découvriraient ce dans quoi ils sont enfermés.

Mais Camille est morte, et mort le cheval.

*

Sur la route mal entretenue, le camion cahote régulièrement sur des nids-de-poule. Les corps entassés dans la benne tressautent, glissent, se calent à nouveau, jusqu'à la prochaine secousse. Au bout du chemin il y a le brasier. Un feu immense et infini, qui ne s'arrête jamais et qui dévore nuit et jour, comme un ogre insatiable, ce que les camions lui déversent. Des chevaux, des vaches et des veaux, des porcs, des moutons.

Des femmes.

À la fin il ne reste que des cendres. Collectées dans de grands sacs pour en faire des engrais, ou réutilisées comme combustible pour l'incinérateur.

Certaines d'entre elles s'échappent, prises dans des tourbillons d'air. Alors elles s'élèvent dans le ciel et s'envolent, si légères qu'on dit qu'elles ne retombent jamais. De là-haut, hors de portée, elles contemplent la terre. Aucun bruit ne leur parvient, que le souffle du vent qui les emporte. Flottant entre les nuages, invisibles et vaporeuses, elles chantonnent. La solitude reste leur seule compagne. Elles furent vivantes ; le monde a eu raison d'elles.

En bas, peu à peu, on les oublie.

REMERCIEMENTS

Les derniers remerciements que j'ai écrits sont ceux figurant à la page trois de mon doctorat. Cela fait quatorze ans. À l'époque, je n'ai pas eu besoin d'y remercier mes lecteurs : ils étaient tous les sept dans la salle de soutenance (jury compris).

Aujourd'hui, vengeance donc. Un immense merci à tous ceux qui ont aimé mon premier roman, libraires et lecteurs, qui me l'ont dit, redit et commenté, et qui par leur enthousiasme m'ont encouragée à en écrire un deuxième.

Je voudrais également apporter quelques mentions spéciales : à Béatrice Duval, artiste de la prise de risque qui n'a pas hésité à me faire confiance et à m'accueillir dans la collection *Sueurs froides* ; à Cécile Gateff, mon « doudou » chez Denoël, qui résout mes angoisses, mes interrogations et mes problèmes en tout genre (il est entendu que je ne la frotte pas contre ma joue cependant) ; et à Caroline Lépée, mon éditrice de compétition, qui me donne chaque fois l'impression qu'il n'y a que moi dans sa vie, et sans qui ce livre, tout comme le premier, serait beaucoup, beaucoup moins terrible.

Enfin, parce qu'ils sont là chacun à leur façon, merci à...

Ma mère,

Jean-Michel qui me porte et me supporte de manière inconditionnelle,

Stéphanie, Jean-Baptiste, mon Anne-So dite « Poulou », Lucie et Alexandre et leur papa Olivier,

Analena, et Vincent en souvenir.

Sophie Sartiaux bien sûr, et les questions du Trivial Pursuit, elle comprendra.

CINQ QUESTIONS À SANDRINE COLLETTE

Un vent de cendres est votre second roman, juste après le succès critique et public des *Nœuds d'acier*. Avez-vous eu l'angoisse de la page blanche ? A-t-il été difficile à écrire ?

Il s'est passé plus d'un an entre le moment où Denoël a accepté mon roman et sa sortie en librairie. Ç'a été un coup de chance car j'ai commencé à écrire le deuxième en toute tranquillité d'esprit, presque « au cas où ». Je n'étais pas sûre que l'aventure continuerait, cela dépendait de l'accueil que recevrait *Des nœuds d'acier*, mais j'étais lancée, au moins pour le plaisir. Quand *Des nœuds d'acier* a commencé à être repéré par la critique puis par le public, quand j'ai été invitée dans des salons (dont l'inattendu Quai du Polar), et quand les lecteurs m'ont dit qu'ils avaient hâte de lire le roman suivant, c'est là que l'angoisse est montée d'un coup. Je continuais à écrire tout en ayant en tête ce que les gens appréciaient *Des nœuds d'acier*, et les questions revenaient en boucle pour moi, est-ce que ce deuxième roman est aussi tendu que le premier, est-ce qu'il est assez noir, est-ce que l'histoire est « prenante », est-ce qu'elle donne envie de ne pas refermer le livre avant de l'avoir fini, etc. De ce point de vue, je n'ai pas eu l'angoisse de la page blanche, mais l'angoisse de décevoir. Et à l'heure où je réponds à cette question, je l'ai toujours !

Les scènes de poursuite sont extrêmement réalistes, et terrifiantes, dans *Un vent de cendres*. Quelles sont vos références et vos préférences cinématographiques ? Quelles scènes, quels films vous ont inspirée pour écrire ce roman ?

Je vais être décevante : je ne suis pas cinéphile. Pour deux raisons : la première, c'est que, paradoxalement, je suis extrêmement sensible. Si on me traîne au cinéma, c'est avec la promesse qu'il s'agit d'un film ni triste ni terrifiant (et, ajouterais-je, ni « nul ») : cela réduit considérablement les possibilités. La seconde, c'est que j'ai suffisamment d'imagination pour ne pas aller en chercher ailleurs, après je sature… Je pense que la dernière course traumatisante que j'aie vue, c'est l'incendie de forêt dans *Bambi*. Cela fait peut-être trente-cinq ans mais pour rien au monde je ne voudrais revivre ça, ni les nuits de cauchemar qui ont suivi à l'époque. Bref, le cinéma, je le fais dans ma tête et cela ne marche pas si mal. Je m'inspire aussi de quelques bribes d'expérience personnelle sur le sentiment de terreur pure.

Dans *Des nœuds d'acier*, les hommes sont au cœur de l'intrigue. Dans *Un vent de cendres*, l'héroïne est une femme. Est-ce important pour vous ? Est-ce voulu ?

On m'a souvent fait la remarque en effet que l'univers des *Nœuds d'acier* était presque exclusivement masculin, et que des deux figures féminines qui s'y trouvent, l'une est absente et l'autre épouvantable. Je voulais équilibrer cela et je tenais à mettre en scène une femme attachante, une femme que l'on pourrait aimer, histoire qu'on ne dise pas que je suis misogyne !

260

Puis au fur et à mesure que l'histoire s'est construite, c'est plutôt un duo que j'ai vu monter, car pour moi il y a deux héros dans *Un vent de cendres* : cette femme, et l'homme blessé qu'elle rencontre. Une sorte de Belle et la Bête moderne. Finalement, ce roman, c'est presque une histoire d'amour…

Dans chacun de vos romans, la nature tient une place importante. Est-ce un élément incontournable pour concevoir vos intrigues ? Pourquoi ce rapport aussi étroit avec la nature ?

« Dans chacun de mes romans », cela ne fait jamais que deux… Mais oui, la nature est prépondérante, sans doute parce que j'y suis profondément attachée. Ce qui est paradoxal car, notamment dans *Des nœuds d'acier*, elle est plutôt hostile, elle participe au roman comme un personnage mauvais à part entière. Dans *Un vent de cendres*, elle prend une dimension plus généreuse à travers les vignes et la Champagne, même si elle est aussi le théâtre de scènes douloureuses. Maintenant que j'ai un peu de recul, je vois bien qu'il y a un sacré vécu dans cette relation proche, presque fusionnelle entre les êtres et la nature. Je pense qu'elle fait tellement partie de ma vie qu'elle s'inscrit d'elle-même dans mon écriture ; mais je ne sais pas encore si elle fera partie de mon troisième roman… les tropismes, sans doute…

Vous avez reçu le Grand Prix de littérature policière 2013 pour *Des nœuds d'acier*. Quels sont vos auteurs préférés de romans policiers, français ou étrangers ?

Je lis peu de romans policiers, inconditionnelle que je suis de Duras ou d'Agota Kristof. Mais j'ai croisé quelques noms qui m'ont impressionnée, notamment Mo Hayder ou

Dennis Lehane. Je trouve qu'il y a chez eux un rythme et une tension qui sont délectables, pas le temps de s'ennuyer, tout s'enchaîne, et on a du mal à reposer le livre. Ce que j'apprécie, c'est leur capacité à me mettre en stress et même à me faire surveiller le moindre bruit dans la maison, en bref, ce ne sont pas des polars « gentillets ». De la même façon que J.-C. Grangé côté français me fascine dans l'angoisse qu'il transmet au lecteur, dans le piège qu'il nous tend jusqu'à ce que tout s'emballe. Du grand art. Mais dans un style très différent, pour l'ambiance et pour la qualité de l'écriture, j'ai dévoré tous les Fred Vargas par exemple. Et j'espère qu'il me reste de magnifiques auteurs à découvrir.

*Découvrez le début du nouveau
roman de Sandrine Collette :*

Six fourmis blanches

Mathias

Le mal suinte de ce pays comme l'eau des murs de nos maisons tout le long de l'hiver. Enraciné en nous, telle une sangsue fossilisée sur une pierre. C'est ce que disait mon grand-père, et avant lui son père, et le père de son père : depuis toujours ces montagnes sont maudites. Qui se souvient que quelque chose de beau y ait été conçu, s'y soit développé ? Que de contreparties à notre présence ici, que de compromis pour nous donner, parfois, le sentiment de bien vivre. Les vieux répètent à l'envi que les mauvais esprits ont choisi cet endroit pour venir mourir ; qu'ils y agonisent des années durant, crachant des imprécations sur nos roches et nos forêts malingres. Nous sommes de trop dans ces vallées ; nous en payons le prix fort. Nous aurions dû abandonner ces terres où nous n'avons jamais été les bienvenus. Si seulement nous étions raisonnables. Mais nous sommes faits de la même caillasse, refusant de céder une once de terrain, acharnés à faire pousser les tubercules qui nous permettent de tenir amaigris jusqu'au printemps suivant. Heureux d'un rien, aussi.

Nous observons stupéfaits les gens des villes étrangères investir notre région pendant les vacances. Ils sont rares encore ; mais leur nombre augmente chaque année, et nous avons cessé de les compter. D'eux, nous ne voyons que rires,

265

artifices et argent. Ils s'approprient nos montagnes et se moquent haut et fort de nos superstitions. Nous nous taisons : nous qui naissons ici, qui y restons jusqu'à ce que la mort blanchisse nos os, nous savons de quoi les esprits sont capables.

Le malheur a tant frappé nos aïeux ; personne ne croit qu'il ait arrêté de nous tourner autour. Et si certains d'entre nous le pensent, ils continuent à faire comme si, pour ne pas provoquer. Devant l'abîme des montagnes, quand le vent siffle aux oreilles son étrange mélopée, chacun peut sentir sa présence. Bien sûr qu'il est là.

Le mal. Le diable, disent les anciens.

Tous nos actes sont soupesés au regard de cette unique question : cela le fera-t-il ressurgir ? Nos vies se rythment et s'épuisent à prendre garde. Même dans les grands moments de fête, nous désignons des veilleurs, postés aux coins des falaises, qui surveillent les chemins des villages. Comme si le mal ignorait les sentiers détournés qui finiront par le mener à l'un d'entre nous : superstition toujours. Mais c'est notre façon de lui montrer notre respect. D'espérer que cela l'éloigne.

Nous lui offrons prières et cadeaux, tels les païens d'une autre époque, presque sans réfléchir – par réflexe. Quand cela ne suffit pas, il nous prend un vieillard ; parfois un enfant.

Le mal est mon compagnon de chaque jour.

S'il disparaissait, je m'évaporerais du même coup.

Mais jamais il ne s'achèvera je le sais : pour cela, il faudrait que le monde s'arrête.

*

Voilà à quoi je pense en gravissant la montagne, ce nouveau jour. J'en ai oublié la chèvre, et je me retourne pour vérifier – mais elle est là dans mon sillage, ombre silencieuse et docile, qui marche sur mes pas sans une hésitation. La corde enroulée autour du cou, dont je ne me suis pas servi – je l'ai laissée au cas où, pour les derniers mètres. Si elle flanchait.

Je jette un œil en bas. Personne ne nous voit, dans ce passage étroit qui nous sépare encore du petit sommet, et je m'arrête pour souffler. Le chemin me pèse. Quatre-vingt-dix kilos à monter, même tout en muscles, cela tire plus vers l'aval qu'autre chose. Certains soirs, je me dis que ce n'est plus de mon âge, mais est-ce que l'on arrête ce métier à quarante ans ? Avant moi, mon grand-père l'a fait jusqu'à sa mort et j'aurais l'impression de le tromper. C'est à moi qu'il a passé le don. Il disait que je l'avais aussi, qu'il fallait seulement m'aider à le trouver. Bien sûr je ne trahirai pas sa confiance, et je continuerai à exercer le don. D'ailleurs, même si je voulais, je n'ai personne à qui transmettre ce savoir incroyable et pesant à la fois.

La chèvre est arrêtée près de moi, je sens son odeur animale, étable, fumier et sueur mêlés. Elle ne mange pas. Elle aussi contemple la vue. En dessous de nous, la montagne s'étend, sans limites. Je vois les crêtes enneigées un peu plus loin, là où cela ne fond jamais, au bord des glaciers et de la frontière que je ne connais pas. Moi, la moyenne altitude me suffit. J'aime voir renaître la roche et les pauvres fleurs de dessous le blanc chaque printemps : il faut que ça vive. Il faut que cela sente le soleil, et pas seulement le froid ; les herbes sèches à cause de l'absence de terre, la pierre brûlée où je pose les pieds en me penchant pour repérer les premiers narcisses. J'attends les jours comme aujourd'hui, de saison trop précoce et trop chaude et qui me réchauffent le corps. Parfois pendant l'hiver, j'ai l'impression de geler os par os, et pourtant je la connais cette montagne, et l'humidité permanente dans laquelle j'ai grandi, et le froid qui ne nous lâche que quand nous sommes au bout de nos forces. Mais rien n'y fait, chaque année me retrouve glacé et persuadé que l'hiver est éternel; convaincu que jamais rien ne ramènera un peu de chaleur dans mes bras et mes jambes. Chaque année je me trompe.

J'inspire à fond et je devine, du bout de l'air, une vague odeur de plante. Oui c'est parti. Il y aura de la neige encore, car nous ne sommes qu'en mars, mais nous sommes du bon côté de l'année. Celui qui passe trop vite, et dont je hume les effluves instant après instant tout en surveillant du coin de l'œil la chèvre brune.

Je scrute la région d'en haut, le dos tourné au petit vent comme n'importe quelle bête. Je suis ici chez moi; ce sentiment de plénitude et de possession me vient souvent en montant, peut-être une question d'oxygène, ou de solitude. Mon pays. J'en crève, de gravir ces montagnes la moitié de l'année, mais je ne donnerais ma place pour rien au monde. Il suffit que je m'asseye devant ces paysages irréels, que je regarde le soleil tomber derrière les sommets blancs, bleus, roses, et ma rancœur s'évanouit, je reste là les bras ballants, émerveillé par tant de beauté austère. Fini la colère, et le pincement au ventre quand je me dis que je suis seul, ni femme ni famille – le lot de ces races presque éteintes dont je suis, car qui nous attendrait des semaines et des mois sans protester, qui nous prendrait tels que nous sommes, nomades et brutaux, nous embrasserait à notre retour comme si nous avions toujours été là, et que nous n'allions pas repartir le lendemain heureux et chantants. Insoumis et ivres d'espace. J'ai appris à vivre avec pour compagnes ces chèvres blanches, brunes ou noires dont l'odeur sature jusqu'au tissu de mes vêtements, jusqu'aux poils de ma barbe quand j'oublie de la couper trois ou quatre jours.

Parfois leurs bêlements sont les seules paroles que j'entende de toute une semaine. Quand elles sont timides et muettes comme celle que j'emmène aujourd'hui, le silence chante en dedans de ma tête.

Je tire sur la corde.

— Allez.

Nous nous remettons en route. Bientôt nous émergeons sur le sentier, et tout en bas, les gens qui nous guettaient font des gestes en nous apercevant. Des silhouettes agitées, grandes comme des insectes au fond de la vallée, que je ne regarde plus. Je connais leurs hurlements par cœur, qui ne me parviennent qu'en murmures, *Il est là! Là! Il arrive. Regardez!*

Maintenant je traîne presque ma bestiole, reculant le moment où, comme toutes les autres, je devrai la prendre dans les bras pour finir le chemin. Peut-être parce que nous allons trop haut; ou que nous avançons trop près du bord. Un faux pas, une glissade, et c'est la mort. Sans doute le sentent-elles, elles dont le pied est si sûr que l'on peut les suivre aveuglément dans la montagne.

Finalement je me suis baissé pour soulever la chèvre et la porter sur la cinquantaine de mètres qui reste. Pendant quelques secondes elle se débat, jusqu'à ce que mon étreinte la contraigne et la calme. Son flanc bat vite. Je regarde en haut. *Eh bien voilà*, je chuchote. *On y arrive.* Je me remets en route, plus lentement encore avec ce poids supplémentaire. Le ventre de la chèvre est calé contre le mien et je me sens faire corps avec elle, partager nos essoufflements, notre chaleur. Peu à peu elle dodeline de la tête. Une sorte de sérénité, ou de résignation, que je lui envie furtivement. Depuis que je l'ai prise dans les bras, je lui parle à voix basse. Et comme je n'ai rien à lui dire, la litanie m'est revenue, des mots sans ordre, juste pour meubler, quelque chose de l'ordre du murmure. *Oui voilà on y est tu vois, là, regarde, c'est notre montagne, le soleil, dans la plaine toute cette herbe, attention où on met les pieds hein, on aurait l'air de quoi, dors, dors ce sera le mieux.*

Le sommet. Je cherche ma respiration. Tourne sur moi-même, les points cardinaux, les vents, les dieux. Personne d'autre que moi n'entend ce que je dis à cet instant. Personne ne devine le pardon que je demande, immobile face au ciel.

Alors, d'un geste que rien ne prévient, je jette la chèvre du haut de la falaise.

*

Ce que je fais ensuite, ils le connaissent par cœur, en bas. Ils me croient en prière, ou en transe. Mais la vérité c'est que je m'effondre.

Mes bras serrés sur mes yeux, c'est pour échapper au sang qui m'aveugle. Mes mains sur les oreilles, pour ne pas entendre l'horrible cri de la bête tout le temps que dure la chute.

*

Je suis un sacrificateur.

N'importe où ailleurs, nous avons disparu. Il fallait ces montagnes lugubres, les croyances ancrées dans notre sang, pour que le métier survive à cette époque ; il faut être bon, aussi. Car je ne suis pas un sacrificateur parmi d'autres : je suis le meilleur. Le seul dorénavant dans cette vallée, depuis que le Roux s'est fait attraper la manche à la corne d'un bouc et qu'il est tombé avec lui dans le ravin. Je le disais depuis longtemps, que quelque chose clochait. Les boucs, on ne les tue pas, ça ne vaut rien. On n'offre pas de la vermine à la vermine : ça l'humilie. Le Roux choisissait mal ses bêtes, et voilà le résultat. Les gens le savaient, mais dans l'urgence, il leur arrivait de passer outre – et puis ce pouilleux était moins cher, bien moins cher. Aujourd'hui, tous ceux qui l'ont fait travailler sont sur ma liste d'attente. Ils ont trop peur que le sort se retourne. Ma saison est déjà pleine jusqu'au jour des Morts, après lequel j'arrête tout jusqu'au printemps suivant, pour ne pas heurter les vieilles âmes.

Je suis un tueur de chèvres, et personne ne sait comme moi repérer une bête, l'isoler, l'emmener jusque-là où elle doit aller. Ceux qui se battent avec elles du début à la fin me haïssent pour cela : d'une certaine façon, elles me font confiance. Cherchent mes caresses jusqu'au moment où je les trahis, et où je les soulève pour les jeter dans l'abîme, comme le grand-père m'a appris, fermant mon cœur et mes oreilles. Alors je sais que cela valait la peine de mettre des heures, des jours à les choisir. Et qu'une fois encore, je ne me suis pas trompé.

C'est pour cela que l'on accepte de m'attendre deux, trois, six mois : parce que j'éloigne le mal. Étranges certitudes qui ont perduré par-delà les siècles, jusqu'à cette époque de hautes technologies et de systèmes financiers aberrants : nous, les sacrificateurs, sommes parmi les hommes les plus respectés de ces vallées rudes et butées. Les seuls à pouvoir contenir les esprits de la montagne, auxquels on cache les nouveau-nés de peur qu'ils ne les tuent. C'est nous qui avons ordonné aux mères, il y a mille ans, de ne parler à leurs nourrissons que par murmures, jusqu'à ce qu'ils soient sevrés. Les villages sont remplis de leurs chuchotements peureux, et rien ne viendrait y mettre fin, car les enfants survivent. Ces superstitions sont enracinées, se transmettent, cohabitent sans heurt avec la télévision, Internet et le e-commerce. Elles nous donnent une identité aussi, dont nous sommes fiers, et la force de rester sur ces terres hostiles.

Parce que je suis là. Parce qu'année après année, comme ma famille avant moi, je traite avec le mal et je le repousse. Je ne sacrifie jamais en vain. Je ne me replie pas sur les boucs ni sur de vulgaires moutons – je laisse cela aux petits peuples de l'autre côté de la mer. Tuer est un art qui se maîtrise, une communion avec la nature, l'animal et les dieux. Pas un acte barbare, non : un présent pour consacrer un mariage, un anniversaire, un baptême, un départ. Une requête. Une prière. Avec la conscience que rien ne nous est dû, mais que derrière l'offrande, nous attendons un retour. Pauvre équilibre dont nous sommes toujours les dupes. Du sang pour un peu de bonheur.

Lou

Il fait vachement beau ce matin. Au balcon de la chambre, après avoir posé une main méfiante sur la balustrade tordue, je m'étire en regardant la vue. Un jardin vert pâle, pelouse et bourgeons de printemps baignés de soleil. Je repère un noyer et un cerisier, comme chez moi, et la similitude me fait sourire. Une table dehors, deux bancs posés sur des rondins de chêne; à gauche, une petite grange toute bardée de bois gris. Un coin à me faire regretter de partir aussi tôt, on aurait dû s'offrir une semaine de paresseux dans cette guesthouse où nous avons été accueillis hier comme des rois. Derrière moi, la montagne. Parsemée d'arbres, puis pelée, puis blanche un peu plus haut. On est très tôt en saison; l'idéal bien sûr, ça aurait été le mois de mai ou de juin, mais on n'a pas eu le choix. C'est déjà un coup de chance, cette histoire qui nous permet, à Elias et à moi, de voyager pour pas cher. On était partis l'an dernier avec le même organisme, une rando tranquille, ça avait été super. Et là, plouf, tirés au sort. Offert, le trekking. Une seule condition: parler l'italien pour pouvoir se débrouiller avec les gens, avec le guide aussi. Ici, l'anglais, on le pratique peu; le français encore moins. Coup de chance, Elias et moi, on s'est connus à Bologne en première année de fac. Erreur d'aiguillage, tous les deux, à tenter un parcours Erasmus en biotechnologie. Nous sommes rentrés à la fin du semestre sans diplôme, mais ensemble. Et l'italien, nous le parlons encore quelquefois entre nous, pour rire, ou pour nous disputer. Nous avons changé d'orientation tous les deux et je dois dire qu'aujourd'hui, nous ne roulons pas sur l'or – pas encore. Elias a commencé à travailler l'année dernière seulement, les études d'ostéo, c'est long. Moi, avec mon diplôme de paysagiste, cela fait trois ans que je trime et que je l'entretiens, comme j'aime le lui rappeler pour le faire râler. Donc voilà, pour nous c'est le paradis ici. Ça ressemble au sud de la France, en plus sauvage. La seule chose, c'est que ça caille. Seize degrés cette nuit dans la chambre, et pourtant le radiateur était à bloc. Quand on a visité hier en arrivant, on a vu que la piaule d'à côté avait un poêle à bois, on aurait dû insister pour la prendre. Ce matin, l'air est froid sur mes joues et mes bras, et je resserre mon col. Il est encore trop tôt pour sentir la chaleur du soleil, et pourtant la lumière me fait plisser les yeux. Je sors une cigarette, craque une allumette. À l'intérieur, Elias m'appelle,

— Mais tu ne peux pas profiter de ces vacances pour ralentir ?

Zut. J'aurais dû prendre le briquet. Mais même le petit claquement du briquet, il l'aurait entendu. Je hausse les épaules, souffle la fumée voluptueusement. Ralentir ? Non. La clope, j'aime ça. Question d'habitude sans doute – j'ai commencé à quatorze ans. C'est une compagnie, une manie, mon doudou à moi, comme d'autres vont croquer un carré de chocolat ou se ronger les ongles, enfin la comparaison n'est pas bonne, bien sûr. Je me retourne : Elias est là, près de moi. Il passe un bras autour de mes épaules et je recule un peu. Je le connais par cœur, il le sait, et il ne m'arrachera pas ma cigarette. Il rit.

— Mais jette donc cette saleté, dit-il.
— Que dalle. Tu sais combien ça coûte ?
— Justement. Tu ferais de sacrées économies.

Je m'accoude à nouveau à la rambarde, ignorant sa dernière remarque.

— C'est beau ce pays, hein.

— Oui. Et mal connu. Encore préservé, du coup.

L'Albanie. Dire que quand on nous a proposé le voyage, malgré tout, j'ai commencé par refuser. D'abord parce que je ne voyais pas du tout où c'était, sur une carte ; je n'avais jamais réalisé qu'elle était juste en face de l'Italie. Je la croyais du côté de la Moldavie, aux frontières de l'Ukraine. Trop loin pour ma limite personnelle – trois heures d'avion, après, je bute. Et puis je pensais que c'était un pays de fous, guerrier et incontrôlable, dangereux, où des gens comme nous se feraient forcément voler, tabasser, violer, que sais-je. Tous ces préjugés dont Elias se moque : il dit que je retarde de vingt ans.

— On aurait dû rester ici au lieu d'aller crapahuter dans la montagne.

J'ai de la suite dans les idées. Mais Elias efface ma suggestion d'un geste :

— On est tous prêts. On prend un petit-déjeuner et on se met en route pour Valbona dans une heure. Lou, regarde ce paysage, ce serait tellement dommage de ne pas en profiter.

Je suis d'accord, au fond : pure paresse de ma part, le réflexe d'une fille qui travaille dur et dont le corps demande grâce parfois, mais un coup d'œil sur la vallée me convainc qu'Elias a raison. Et puis je veux dormir à la belle étoile dans la neige, au moins une fois. Allez. C'est parti – dans ma tête, j'ajoute « mon kiki » et je ne le dis pas, cela fait partie des expressions qui me font rire mais qui exaspèrent Elias.

Nous bouclons nos sacs. Le temps de descendre, de traverser le séjour tapissé de lambris en bois clair, les autres sont assis dehors devant un pot de café et des choses qui ressemblent à des crêpes, en plus sec. Nous nous saluons avec entrain. Nos compagnons de voyage.

— La pêche ? demande Marc.

Elias lève le pouce en acquiesçant et je ne peux pas m'empêcher de le trouver craquant, avec ses cheveux blonds qui happent la lumière, ses yeux bleu de mer et sa longue silhouette athlétique. À côté de lui, je me sens parfois petite et trapue, et pourtant il n'en est rien : je suis solide, noueuse, c'est tout, métier oblige. Pas très grande. Brune avec des yeux moins bleus que ceux d'Elias, mais bleus quand même. Quand il fait beau, ils virent au jaune, je sais que c'est difficile à croire, il faut l'avoir vu une fois. Je croise le regard d'Arielle et lui souris.

— Ça va ?

Elle me répond elle aussi d'un sourire. La seule autre nana du groupe, une rousse étincelante, et je n'arrive pas à savoir si sa couleur est naturelle ou pas. À part nous deux, quatre gars : son mari à elle – Lucas –, le mien, et deux célibataires, Marc et Étienne. Il y a un mois, nous ne nous connaissions pas ; mais comme nous avions tous signé pour ce voyage, nous avons eu envie de nous rencontrer un soir à Paris. On a opté pour un dîner près de la place d'Italie. Géographiquement, c'était le plus simple, une sorte de point de convergence entre nos lieux d'habitation car Marc, Arielle et Lucas n'étaient pas parisiens : le premier arrivait par la gare du Nord, les autres venaient de Lyon. Comme toujours quand on ne se connaît pas, ce soir-là, la conversation est partie sur nos boulots. Pas le plus intéressant, mais cela permet de se situer, même si on s'en fout qu'Arielle soit postière, et lutteuse le week-end, ou que Marc soit sans doute au chômage, vu qu'il ne l'a pas ouvert là-dessus. Moi, celui que je trouvais sympa, c'était Lucas. Pas trop son mot à dire avec une femme exubérante comme la sienne qui s'est mise à chanter *la Traviata* à la fin du dîner, mais un type discret, malin, banquier toute l'année sauf les trois jours que nous projetions de passer ensemble. En revanche je n'ai pas aimé Étienne, c'est ainsi, une sorte de distance immédiate et je me suis dit, *Un con*. Prof, et qui se targuait d'être un peu psychologue : évidemment, il savait tout sur tout. J'ai fait un effort, pour Elias qui me reproche souvent d'être un ours mal léché et de préférer la compagnie de mes arbres à celle des gens. Cela dit, il n'a pas tort : j'aime la solitude. Au fond, à nous deux, nous équilibrerions le monde. Lui passe ses journées à tripoter des corps – quelque chose que je serais bien incapable de faire, car le contact de la peau humaine me répugne, et chaque fois que je dois tendre la main à un client, je ne peux pas m'empêcher de m'essuyer en douce, par réflexe, d'un geste vif sur mon jean. Elias est à part, bien sûr, dans mon indigence sensuelle, et je mendie parfois ses services quand, avec les gars, nous en avons bavé sur un abattage ou une plantation gigantesque, quatre mille repiquages dans la journée, six mille sapins de Noël, tout ça.

Enfin, c'était plutôt sympa ce petit dîner sous les parasols chauffants d'un restaurant italien, même si on n'a pas eu chaud – mais il fallait faire avec les fumeurs. On a tous pris une pizza, sauf Elias et Lucas qui ont préféré des pâtes, et on a papoté pendant deux bonnes heures. Ce n'est pas facile de bavarder bille en tête avec des gens qu'on n'a jamais vus et ceux-là, je ne m'en ferais sans doute pas des amis pour la vie, mais le temps d'un grand week-end à la montagne, pourquoi pas. Et puis cela m'a rassurée de voir avec qui j'allais partir, parce que je suis plutôt casanière et que les changements me mettent mal à l'aise. Même les vacances. Je me dis parfois que si je n'étais pas avec Elias, je ne quitterais jamais ma banlieue. La routine m'apaise. Tout le contraire d'Elias encore une fois, qui aime le contact, les découvertes, les nouveaux horizons. Nos différences nous amusent ; grâce à lui, je ne suis pas une vieille fille de vingt-cinq ans. Même si l'intérêt de ces rencontres de passage, de ces drôles d'amitiés furtives, me dépasse. Je ne comprends pas comment on peut se passionner pendant une semaine, un peu plus, un peu moins, pour des hommes et des femmes qu'on ne reverra jamais. Combien de gens ai-je déjà oubliés, qui ont compté quelques jours d'une époque gommée de ma mémoire, et que la vue d'une photo ou l'évocation d'un vieux souvenir me rappelle parfois avec étonnement. *Tiens, c'est vrai, cela a existé.* Il en sera cette fois comme des autres, et dans un an, ou cinq, les silhouettes de nos compagnons de montagne seront devenues floues, je ne mettrai plus de visage sur leurs noms.

— Tu ne manges rien ?

La question d'Elias me fait sursauter. Je prends une galette : *Si, bien sûr. Je pensais à autre chose.*

— Où est-ce qu'on a rendez-vous ? demande Marc.

Lucas fouille dans son sac, sort une feuille de route.

— J'ai l'adresse de l'hôtel où on doit retrouver le guide. On pourra boire encore quelque chose avant de partir. Et après, les enfants… parés pour l'aventure !

Arielle soupire d'aise, ouvre les bras vers le paysage. Nous sommes au fond de la vallée, le bruit de la rivière nous parvient quand le vent pousse vers nous. Ce soir, à midi même, nous pataugerons dans la neige, nos bardas de quinze ou vingt kilos sur le dos.

— À votre avis, on va où ? demande Marc en montrant les montagnes.

Elias s'esclaffe, Aucune idée. Étienne tend un doigt vers l'est.

– Valbona est ici, à un kilomètre… Puisqu'on part à, mmm… j'ai oublié le nom, enfin, ça devrait être par là.

— De toute façon, dit Arielle, on s'en fout, on a un guide. Et puis je vous rappelle qu'on est nuls. Soyons à la hauteur.

Nous applaudissons en riant. C'est vrai. Nous avons baptisé notre groupe ainsi lors de notre rencontre, *La montagne pour les nuls.* Il y a une certaine jouissance à se parer des adjectifs les plus idiots en sachant que c'est faux, qu'on y arrivera, à vaincre les glaciers hostiles – et les ours, a ajouté Lucas ce soir-là. C'est l'objectif de cette randonnée de l'extrême, comme on nous l'a vendue : les hauts sommets pour les débutants. Enfin, hauts... qui culminent à deux mille cinq cents, deux mille sept cents mètres. Mais pas de remontées mécaniques ici : un peu de 4×4 pour nous faire grimper au maximum, et après, tout à pied. Trois jours d'un mois de mars radieux et gelé, pour découvrir la montagne comme nous ne l'avons jamais vue, pas sur les pistes à touristes de base, non, mais à travers les chemins abrupts et glacés qui mènent sur les crêtes et qui sont d'habitude réservés aux randonneurs chevronnés. Tout le défi de cette agence de voyages : nous faire faire ce que nous croyions impossible, ouvrir les sommets à des gens comme nous, qui ne connaissent pas ou peu la montagne. Et nous sommes les pionniers de ce circuit improbable qui a demandé plusieurs mois de préparation. Une session test pour ce drôle de challenge, voilà pourquoi on nous l'offre, et pourquoi cela nous plaît. Sortir enfin de l'ordinaire. Échapper aux vacances stéréotypées, aux embouteillages au télésiège ou au bord de la mer. Voir ce que les autres ne dénichent que sur les cartes postales. Au soir du deuxième jour, nous atteindrons un sommet avec l'un des plus beaux panoramas du monde. Cela se mérite, et avant, et après – le froid, l'air raréfié, la neige, mais nous sommes prêts. Tous les six.

*

Le guide avait levé devant lui une pancarte avec le nom de l'organisme de voyages inscrit dessus. C'est ainsi que nous l'avons reconnu au point de rendez-vous où se presse déjà du monde prêt à partir sur les chemins, avec ce panneau ridicule qu'il tenait en l'air, lui cachant le visage. Nous le cherchions dans la confusion des touristes présents – pas une marée mais j'étais étonnée, nous étions bien une cinquantaine éparpillés autour du café que proposait l'hôtel – et Arielle l'a vu en premier. *Là !* a-t-elle crié, et nous avons suivi. Notre guide de montagne nous a serré la main à tous en se présentant. Vigan. Drôle de nom, qui sonnait vieux comme un monde inconnu, qui nous a fait hausser les sourcils. Un peu de dépaysement, déjà : cela nous allait bien.

Ensuite nous nous sommes attablés et en attendant d'être servis, il a fallu dire ce que nous avions mangé avant de venir. *Pas assez*, a marmonné notre guide en nous écoutant, et secouant la tête avec une moue. *Mauvais. Combien ? Trop peu*. Pareil avec le contenu de nos sacs, et nous avons énuméré la nourriture, la pharmacie, les vêtements, tout. *OK*, il a dit. Il a souri pour la première fois. Et là, je me suis fait la réflexion : beau garçon. Une chouette gueule burinée de montagnard, et il porte joliment sa quarantaine solide, un brun ténébreux au regard un peu flottant, un côté brut qui m'accroche. Tout bon. Je sens l'attention d'Elias sur moi, qui me connaît si bien ; me tournant vers lui, je lève discrètement un pouce en l'air, histoire de lui faire partager mon appréciation. Il me lance un geste de menace en retour, et nous échangeons un sourire complice. Je reviens à Vigan, ses yeux noirs, ses boucles brunes indisciplinées. Le pli amer au coin de sa bouche quand il nous regarde. Eh bien.

En quelques minutes il nous a observés, estimés, évalués. À première vue, nous ne valons pas bien lourd à la perspective d'une ascension, et son air un peu figé en dit long sur son embarras. Mais quoi, il le savait, que nous ne sommes que des amateurs. Est-ce qu'il espérait faire de la glisse sur les pentes glacées, battre des records de vitesse en course à pied ? Cela se voit tant que ça, que nous sommes des profanes? Qu'importe. Je décide de ne pas me laisser gâcher ma journée, d'ignorer ce regard déçu sur nous, sur les mains blanches et fragiles d'Étienne, sur Arielle qui pèse vingt kilos de trop. Sur moi, quand je sors une nouvelle cigarette. Et même, cela finit par me faire rire. Nous sommes un groupe si contraire à ceux qu'il doit avoir l'habitude d'emmener. Ignorants et dilettantes, et bruyants, et bavards. Marc lève sa tasse au-dessus de la table.

— À nous, et à cette belle balade qui nous attend.

Nous entrechoquons nos gobelets et je me dis que c'est la première fois que je trinque au café et au thé. Puis nous les tendons tous ensemble, vers Vigan.

— À toi, qui t'es fait embarquer dans cette aventure sans savoir à quoi tu t'attaquais. Nous voilà!

Notre montagnard sourit, nous lance un geste d'excuse.

— Ne le prenez pas mal si je vous regarde comme ça. Il faut bien que j'essaie de me faire une idée des difficultés que cette randonnée va nous poser, le circuit n'est pas toujours évident; mais on va l'emmener, votre petit groupe, et bien. Le temps est avec nous, c'est rare à cette période de l'année. On a de la chance.

— On est de grands veinards, fanfaronne Marc.

Lucas approuve :

— Et notre chemin sera parsemé de fleurs et de diamants.

Vigan se met à rire.

— Et de neige, et d'embûches, et de dîners de pâtes froides. Mais vous avez raison : cela n'empêche pas d'être optimiste. En attendant, prenez des forces, nous allons avoir une grosse journée.

Il nous montre du doigt les énormes tartines de pain empilées au milieu de la table, le jambon et le fromage, la confiture, et nous faisons la grimace. Citadins habitués aux petits-déjeuners manqués et aux cafés en guise de repas, et il n'est que huit heures. Mais sur ce point, Vigan est intraitable : c'est ça, ou il nous laisse sur place. La montagne, ça creuse.

*

Le 4 × 4 nous jette sur une petite plateforme rocheuse et s'éloigne. Je le suis du regard un moment. Quand il disparaît, je me dis que ça y est : nous sommes seuls au monde dans ce paysage inouï. Pas fâchés d'être arrivés, tassés que nous étions dans une seule voiture. Elias et moi sommes montés dans le coffre, les autres se sont serrés à quatre à l'arrière, à moitié assis les uns sur les autres, les sacs entassés sous nos pieds. Devant, le conducteur et Vigan. Heureusement que la vue à couper le souffle nous récompense de ces heures douloureuses. Au fond de la vallée, la rivière dessine un long serpent bleu surréaliste, les prés sont d'un vert timide. Là où nous sommes, la pierre et la neige ont remplacé la flore, mais le soleil éclaire l'ensemble d'une lumière dorée magnifique. Je ne sais pas pourquoi ce paysage me donne l'impression d'assister à la naissance du monde, je ne l'explique pas à Elias, je n'y arriverais pas. Peut-être les couleurs tendres et fraîches, l'air pur, presque doux à présent, l'exaltation de l'altitude. Une sensation fusionnelle avec ce qui m'entoure, et j'observe les autres qui discutent, suis-je la seule à sentir cette communion puissante avec la nature, qui me donne la chair de poule ? Partout sous nos pieds, les rochers, quelques fleurs chétives poussées trop vite après l'hiver ; l'impression d'une terre au bord de la fusion, ne serait-ce la neige qui déjà l'étouffe et la noie. Je respire avec elle. Pose la main sur un conifère pour en sonder l'écorce, comme si cela pouvait être différent ici, primitif, préhistorique. À quelques pas, j'entends la voix d'Étienne.

— À combien on est, là ?

Vigan hausse les épaules, *Mille cinq cents mètres à peu près. Et on va aller...* – il montre un point bien au-delà de nous et nous nous retournons tous pour le voir, un point qui nous semble impossible – *... là.*

Ensuite il regarde nos yeux écarquillés et prend son sac à dos en souriant.

— Pas ce soir, bien sûr. C'est trop loin. Mais on ne va quand même pas traîner.

— Ah bon, s'exclame Arielle dans un soupir de soulagement, parce que là, j'ai cru que je pouvais rentrer directement à la maison, même pas la peine d'essayer !

Vigan vérifie nos sacs, règle quelques sangles. Nous tape dans le dos l'un après l'autre, comme à de bonnes bêtes. *C'est parti.* Et empoignant nos bâtons, nous nous mettons en route. Au début, avec Elias, on chahute un peu – l'excitation de la montagne, notre jeunesse a dit Lucas avec un soupir, lui qui doit approcher les quarante ans.

Nous nous tenons par la main et Elias me dit, *Passe devant*, en file indienne comme les autres. Nous fermons la marche. Je lui chipe son bonnet en courant, d'une démarche pataude à cause de mes vêtements molletonnés, gros pantalon, gros anorak – il m'attrape d'un geste en se moquant de moi et de ma lenteur, ramasse un peu de neige qu'il me glisse dans le cou. Je crie. *Chut*, rit-il un doigt sur la bouche. *Allez, va.* Je sais qu'il me regarde, même si je n'ai plus rien de séduisant avec ma combinaison de randonneuse, on dirait un épouvantail trop habillé au milieu d'un pré. Mais il ne peut pas s'en empêcher. Il m'appelle pour que je me retourne. Mes taches de rousseur sur le nez, mes yeux bleus tachetés de jaune, il dit, comme des petits soleils. Il court quelques pas vers moi et je l'arrête en levant un bras et une jambe, je lui demande :

— Je te plais toujours?

Il rit, *T'es bête*. La boule de neige qu'il lance du bout des doigts atterrit sur mon oreille. Et puis je me rends compte que Vigan nous regarde, nous hèle, une main en l'air.

— Hé les jeunes, je vais essayer de ne pas vous perdre tout de suite. Vous suivez le mouvement, là?

Nous accélérons le pas pour rejoindre le groupe. Je perds rapidement du terrain, Elias m'attend. Lorsque nous rejoignons les autres, Vigan a froncé les sourcils.

— Ça va?

— Oui, je dis en reprenant mon souffle. C'est juste la mise en route. Cigarette. C'est pas malin, mais j'arrive pas à arrêter.

— Tu fais de la balade, le reste de l'année?

— Euh, oui, de temps en temps. Mais ça va aller.

— Sûre?

— À cent pour cent.

— Bien. C'est toi qui vois.

Je lui décoche un beau sourire, *Bon, je suis d'accord pour être la nulle du groupe…* Avec mes quarante-cinq kilos c'est un comble, et la vue de la grosse Arielle qui crapahute en tête m'écœure un peu. Vigan suit mon regard, me rassure.

— C'est moi qui vais donner le rythme, ne t'inquiète pas. On n'est jamais à la course en montagne.

— On va marcher combien de kilomètres aujourd'hui?

— Oh, ça ne veut rien dire les kilomètres, ici. Ce sont les dénivelées qui comptent. Et cela dépendra de la neige.

Il se tourne vers Elias.

— Tu restes derrière?

En ce début de journée du mois de mars 2013, nous ressemblons à une courte file de fourmis montant à l'assaut des montagnes, sages et ordonnés bien en ligne, et peut-être les autres se demandent-ils comme moi pourquoi ils ont plongé dans cette escapade, à quoi cela leur sert, et si le plaisir de raconter ce qu'ils auront vécu là-haut vaut la peine que nous avons à enchaîner un pas après l'autre, inlassablement, entre les pauses pour boire, respirer, boire encore. Vigan nous a prévenus : nous perdons un litre d'eau par tranches de cinq heures en altitude, et nous perdons aussi le sentiment de la soif, à cause du froid. Aussi nous oblige-t-il à nous arrêter au milieu de la matinée, sortant son réchaud et faisant frémir l'eau pour un thé obligatoire, il dit, une boisson chaude, rien de tel, et nous sommes trop heureux de nous asseoir au hasard des rochers et de nous reposer les jambes et le souffle. Marc se marre.

— Tu sais quoi, nous jette-t-il collectivement, c'est un peu comme le foot ou le tennis : vachement mieux à la télé.

Nous acquiesçons tous en hochant la tête, il n'a pas tort – n'eût été le sentiment progressif de nous surpasser, d'avancer à pas de nains mais d'avancer quand même, et de laisser derrière nous la trace de notre passage, une ligne de neige foulée, tassée, tel un sentier fendant une mer blanche. Ce qui m'étonne, c'est le sentiment presque immédiat de fatigue que j'ai ressenti. Dès cette première pause, je commence à projeter le deuxième arrêt, puis celui de midi, et ainsi de suite jusqu'au soir. Mes jambes sont lourdes et mon souffle resserré, marcher me demande un véritable effort. Il faut dire que nous ne faisons que grimper, bien sûr, que les cailloux roulent sous nos pieds puis, très vite, la neige, qui envahit la montagne. Je n'ai pas tout à fait dit la vérité à Vigan, je ne fais jamais de balade ; celle de l'été dernier en Grèce, avec Elias, ça ne compte pas, c'était il y a longtemps. Et puis, cinq jours seulement. Depuis, rien. Je bosse dehors toute l'année et j'en ai ma claque, des forêts. Mais il y a loin du travail en force, statique, de mon quotidien, à l'impulsion constante d'une marche de cinq ou six heures qui plus est en montée. Je regrette mon obstination à refuser la plupart des promenades que propose Elias – trop tard. Une chape de plomb sur mes épaules. La seule chose qui me rassure, c'est que les autres ne vont pas plus vite. Au fond de moi, j'espère qu'ils en bavent eux aussi. Pause, pause. Pouce, comme on disait quand on était gamins. Les heures sont longues, et pourtant nous savons déjà qu'au moment où nos corps n'en pourront plus, Vigan va se retourner vers nous, rire en nous observant. Poser son sac à terre en disant, *Y a-t-il des volontaires pour une petite halte* – et ce ne sera pas une question.

Incroyable comme l'après-midi même, j'ai l'impression d'être partie depuis des jours. L'air vif, la fatigue, les vertiges quelquefois, saoulés comme si nous respirions trop fort. Le rythme : toutes les heures, quinze minutes de repos. La journée se décompose en quatre, cinq morceaux qui donnent un drôle de sentiment d'éternité, en boucle, et tout recommence chaque fois, la marche, la pause, les raisins secs ou les biscuits, l'eau, le thé. Les sacs pèsent lourd sur nos épaules, mais n'est-ce pas ce que nous voulions, bivouaquer et nous sentir libres, avec le poids des tentes et de la nourriture nous sciant le dos tout en nous promettant un week-end hors du temps ? Par moments cachés sous les forêts de sapins, nous nous sentons comme des petits êtres vivant dans des tunnels et nous regardons de loin en loin le soleil percer entre les branches, aveuglés, riant de nous retrouver déjà en pleine lumière quand les arbres se dispersent. Les failles, les plaques de glace, les chutes, nous n'y croyons pas : nous sommes au-delà. Peut-être une euphorie d'altitude, et nous voyons bien que le guide nous surveille. Assez vite d'ailleurs, nous retrouvons notre calme, car le souffle nous manque. Nous ouvrons les bras devant les paysages impensables qui se découvrent au sortir d'un bois de résineux, au coin d'une montagne. À perte de vue, des neiges entrecoupées de roches, dessinant les replis d'une crème fouettée magnifique, crayeuse et vierge – une fois Elias m'a pris la main et nous avons regardé sans rien dire et sans plus rien entendre autour de nous. Un jour d'exception. Je me dis que celui-là, je ne l'oublierai pas.

Le Livre de Poche s'engage pour
l'environnement en réduisant
l'empreinte carbone de ses livres.
Celle de cet exemplaire est de :

250 g éq. CO_2

PAPIER À BASE DE   Rendez-vous sur
FIBRES CERTIFIÉES   www.livredepoche-durable.fr

Composition réalisée par Belle Page

Achevé d'imprimer en décembre 2014 en France par
CPI BRODARD ET TAUPIN
La Flèche (Sarthe)
N° d'impression : 3008350
̦al 1ʳᵉ publication : janvier 2015
AIRIE GÉNÉRALE FRANÇAISE
̦ Fleurus – 75278 Paris Cedex 06

31/7602/1